Chère lectrice,

On a beau faire, … e passé. Certains s'accrocher… age (que se passerait-il s'ils lâch… pe (pour y découvrir quels secrets, quelles réponses ?), d'autres le fuient à toutes jambes ou à grands cris. J'en connais même qui partent à sa recherche et le réécrivent. En revanche, je ne connais personne, personne, qu'il laisse indifférent.

Et je ne fais pas exception. J'aime de tout mon cœur mon passé. Celui de mes sept ans, de mes dix-huit ans, de mes vingt-cinq ans… Je voue une tendresse infinie à mes vieux amis — ceux qui se rappellent, quand je dis : « Tu te souviens… ? ». Ma maison est encore habitée par le parfum de ma grand-mère (et ces charmantes petites chaises dont elle raffolait). Les sages paroles de mon grand-père perlent chacune de mes conversations. Et mon esprit résonne des mises en garde de ma mère.

Oui, j'aime de tout cœur mon passé… mais parce que je me sens libre de l'aimer. Aussi libre de l'aimer que de l'envoyer au diable. Ainsi, il m'arrive de donner l'une des charmantes petites chaises parce que, décidément, elle ne trouve plus sa place chez moi. Et d'ajouter aux sages paroles de mon grand-père quelques-unes de mes propres perles. Et d'envoyer un baiser à ma mère pour la remercier de m'avoir appris tant de choses… comme de penser par moi-même au lieu de suivre mot à mot ses principes !

Mais qu'adviendrait-il de moi si j'étais incapable de me délivrer de mon passé ? Que se passe-t-il quand le passé vous tient — pire, vous possède ? Qu'il est une prison, qu'il vous verrouille le cœur et vous empêche d'espérer, d'aimer, de vivre ?

Je vous souhaite, chère lectrice, d'être de celles qui conservent précieusement les charmantes petites chaises mais peuvent s'en défaire. D'envoyer de malicieux baisers à tous ceux que vous aimez chaque fois que vous bravez leurs recommandations. Et d'avoir un jardin qui résonne d'échos quand vous lancez : Tu te souviens ?…

Bonne lecture,

La responsable de collection

Un si bel avenir

CAROLYN McSPARREN

Un si bel avenir

éMOTIONS

*éditions*Harlequin

Cet ouvrage a été publié en langue anglaise
sous le titre :
HOUSE OF STRANGERS

Traduction française de
ISABELLE ROVAREY

HARLEQUIN®

est une marque déposée du Groupe Harlequin
et Émotions® est une marque déposée d'Harlequin S.A.

Photos de couverture
Couple : © TAXI / GETTY IMAGES
Maison : © PHOTODISC / GETTY IMAGES

83-85, boulevard Vincent-Auriol, 75013 PARIS — Tél. : 01 42 16 63 63
Service Lectrices — Tél. : 01 45 82 47 47
ISBN 2-280-07924-0 — ISSN 1768-773X

1.

Début mars

— Quel dommage que Trey vende la maison à un étranger ! déclara Ann Corrigan en coinçant son pied sous le barreau du tabouret de bar du World River Café. Je ne l'en blâme pas, bien sûr… Que pouvait-il faire d'autre ?

— A part y mettre le feu pour récupérer l'indemnisation de l'assurance, je ne vois pas, répondit Bernice Jones. Deux ans qu'elle est sur le marché sans que le moindre acquéreur se soit manifesté !

Elle passa un chiffon humide sur le comptoir et demanda :

— Tu prends un petit déjeuner ?

— Seulement un thé glacé, s'il te plaît. Tout de même… Si seulement j'avais pu me le permettre, je l'aurais bien achetée moi-même.

— Et qu'aurais-tu fait d'une aussi grande maison ? objecta Bernice en secouant la tête.

Elle remplit un pichet en grès de thé glacé et le plaça devant Ann avant de poursuivre :

— Elle tombe en ruine. Pas étonnant que Trey ait sauté sur l'occasion qui se présentait. C'était inespéré.

— Bernice, aurais-tu du citron ?

— Si tu veux bien me laisser une seconde… Le thé a à peine eu le temps de refroidir.

Bernice empoigna un couteau aiguisé et se mit à débiter le fruit en quartiers avec la dextérité née d'une longue pratique.

— Je parie qu'un thé glacé à cette heure de la matinée, ce ne devait pas être facile à trouver, là-haut, à Buffalo…

— Ni à cette heure-ci, ni même à une heure plus tardive, bien souvent ! Va savoir pourquoi, là-bas, c'est une boisson réservée exclusivement aux grosses chaleurs, et qui ne se consomme en aucun cas au petit déjeuner.

— Quel soulagement ce doit être, pour toi, d'avoir terminé ce travail et d'être redescendue dans le Sud ! Tu devais en avoir assez du blizzard glacé qui souffle là-haut.

— Comme je passais le plus clair de mon temps à restaurer le manteau d'Arlequin de ce vieux théâtre, je n'ai guère eu le loisir de me soucier du temps qu'il faisait dehors, crois-moi ! Ce qui est sûr, c'est que je ne veux plus voir de feuille d'or pour un bon bout de temps.

— Oh, sois tranquille de ce côté-là : de la feuille d'or, il ne doit pas y en avoir beaucoup dans la vieille maison Delaney.

Bernice posa une coupelle remplie de morceaux de citron sur le comptoir.

— Le mieux serait que cette vieille bicoque s'effondre toute seule. Quoique… Elle risquerait encore de s'écrouler sur le café et de nous tuer tous !

Ann piqua deux quartiers de citron et les pressa dans son thé avant d'y ajouter deux sachets d'édulcorant.

— Pourquoi es-tu tellement remontée contre cette maison ?

— Personne n'y a jamais été heureux. Certains endroits attirent le malheur… Note bien ce que je te dis. Ce Français qui l'a achetée déchantera, tu verras.

Le regard de Bernice se porta par-delà l'épaule d'Ann.

— Un peu de patience, les gars ! J'apporte vos cafés dans une seconde.

Elle s'empara d'un pot volumineux et zigzagua entre les tables occupées par les habitués, des fermiers qui venaient s'octroyer leur pause rituelle du milieu de la matinée.

Lorsque Bernice fut revenue derrière son comptoir, Ann continua, l'air rêveur :

— Moi, j'étais bien, là-bas. Quelquefois, après ma leçon de piano, tante Addy et moi buvions une limonade en grignotant des macarons faits maison dans la serre. C'est sans doute dans cette maison que m'est venue ma vocation pour la restauration de bâtiments anciens. Il me suffit de voir une vieille bâtisse délabrée pour que je brûle d'envie de lui restituer son lustre passé.

— Pfff… Celle-ci n'a jamais beaucoup resplendi, si tu veux mon avis.

— J'espérais que Trey se déciderait à en faire don à la commune, si elle restait trop longtemps en vente. Elle aurait pu être convertie en musée ou… je ne sais pas. Recevoir des subventions, être réhabilitée…

— Que veux-tu qu'un trou perdu comme Rossiter, au fin fond du Tennessee, fasse d'un musée ?

Bernice, d'un large geste du bras, embrassa la salle et les coupures de journaux jaunies, remontant à une centaine d'années, qui ornaient les murs du café.

— Tout ce qui mérite d'être exposé se trouve ici. Quant à cette vieille baraque… Ce n'est pas comme si elle datait d'avant-guerre.

Ann comprit à demi-mot que Bernice faisait allusion aux « événements » qui avaient opposé les Nordistes aux Sudistes. Les autres conflits étaient généralement désignés par des qualifications plus précises comme « guerre mondiale », « guerre du Viêt-nam » ou « Tempête du Désert ».

— C'est un peu ridicule, mais je me faisais l'effet d'être Cendrillon, quand je descendais ce majestueux escalier, poursuivit Ann. J'imaginais ce à quoi il avait dû ressembler lorsqu'il était tout illuminé pour les cotillons et les grandes soirées.

— Au moins Trey l'a-t-il vendue à quelqu'un qui a les moyens de la remettre en état. C'est une bonne opération puisque, du coup, cela te permettra de travailler sur place, pour une fois. Tu as déjà rencontré ce Français, le nouveau propriétaire ?

— Non. Papa a rendez-vous avec lui ce matin pour fixer le calendrier des travaux. Il se peut que je ne le voie pas avant des semaines, s'il navigue entre le New Jersey, d'où il vient, et Rossiter. Et puis, d'après papa, il n'est pas français.

Bernice s'appuya du coude sur le comptoir et posa le menton sur son poing fermé.

— Ce que j'aimerais savoir, murmura-t-elle, c'est pourquoi un célibataire est prêt à engloutir une fortune dans la rénovation d'une vieille maison dans un petit village comme le nôtre, où il n'a aucune attache.

Ann haussa les épaules.

— Il paraît qu'il était pilote de ligne, mais qu'il a été blessé et qu'il ne peut plus voler sur de gros avions. Peut-être qu'il est ami avec les pilotes qui ont racheté les maisons d'avant-guerre à LaGrange. C'est peut-être par leur intermédiaire qu'il a eu vent d'une maison disponible par ici.

— Eux dépendent de l'aéroport de Memphis ; ils se sont installés là pour être à proximité de cette ville. Et puis ils sont mariés et ils ont de l'argent à revendre. Lui, ce n'est pas pareil : il a surgi de nulle part et, hop ! En cinq minutes, il avait acheté la maison et engagé ton père pour effectuer les travaux.

Elle secoua la tête.

— J'aurais été moins étonnée s'il avait eu l'intention de la transformer en petits appartements ou de la démolir pour construire du neuf. Mais évidemment, la municipalité n'aurait jamais laissé perpétrer un pareil outrage contre une demeure historique !

Elle hocha la tête d'un air pénétré.

— Il paraît qu'il est à la *retraite,* ajouta-t-elle d'un ton presque accusateur.

— Et puis après ? demanda Ann. Beaucoup d'hommes prennent leur retraite tôt.

— A ce point-là ? D'après Loreen Hoddle, il n'a pas plus de trente-cinq ou trente-six ans. Non, Ann, je te dis que ça cache quelque chose de bizarre.

— Oh, voyons, Bernice ! Qu'est-ce que tu crois ? Qu'il va ouvrir un tripot ? Une maison close ?

— Chut... En tout cas, toi et ton père, faites attention... Imagine que vous réalisiez tous ces travaux et qu'il ne vous paie pas, au bout du compte ?

— Papa a vérifié ses références. Il est parfaitement solvable. Et puis, d'ailleurs, il est rare que les gens s'amusent à escroquer un commissaire de la police.

Elle médita un instant.

— Pourquoi voudrais-tu qu'un réseau de gangsters vienne se livrer à du trafic de drogue ou à de la prostitution dans une bourgade de trois cent cinquante âmes, où tout le monde se connaît et dont les habitants sont tous plus ou moins apparentés ? Ça n'a pas de sens. Quant aux jeux légaux, il suffit de franchir la frontière au sud et de passer dans le Mississippi pour en trouver. L'ouverture d'un casino clandestin, ici, dans l'ouest du Tennessee, serait à coup sûr vouée à l'échec.

— Eh bien, attends et tu verras, assena une nouvelle fois Bernice avec conviction.

Elle remplit de nouveau le verre d'Ann.

— J'ai d'abord pensé, comme il n'était pas marié, qu'il vivait seul, que c'était peut-être un de ces... décorateurs professionnels — comme Calvin, le fils de Patsy, qui est parti pour La Nouvelle-Orléans, tu sais —, mais Lorene m'assure qu'il a l'air très viril. Et que c'est un très bel homme. Alors, qui sait, Ann, peut-être que si tu sais bien t'y prendre...

Ann éclata de rire et faillit s'étrangler avec son thé.

— Bernice ! Une minute, tu prétends que ce type est un trafiquant de drogue et, l'instant d'après, tu voudrais que je mette le grappin sur ce pauvre homme : il faudrait savoir !

— Tu es divorcée depuis près de deux ans, ne l'oublie pas. Tu es trop jeune pour ne pas te remarier, et avoir des enfants.

— Bernice, je t'adore, mais je ne cherche pas un nouvel apollon — à plus forte raison, un apollon qui est retraité à trente-cinq ans, comme tu l'as justement souligné, et qui, pour couronner le tout, s'est approprié notre vieille maison de famille. Ce sera mon client le temps que la réfection de la maison Delaney soit terminée, point. Ensuite, je mettrai le cap vers un nouveau projet, ailleurs. J'ai de bonnes raisons de penser que les hommes trop séduisants ont une fâcheuse tendance à se croire au-dessus des lois.

— Alors, trouve-toi un Quasimodo, que veux-tu que je te dise ! Mais dépêche-toi. N'attends pas d'être trop âgée. Jusque-là, tu as rembarré systématiquement tous ceux qui ont tenté de t'approcher.

— Je ne suis pas assez souvent présente ici pour envisager une relation durable avec quelqu'un. Je viens de passer trois mois à Buffalo et, ensuite, ce sera peut-être Chicago, ou une petite localité du fin fond de l'Iowa qui voudra restaurer sa vieille salle de cinéma ?

— Tu es ici pour le moment, s'entêta Bernice.

— Oui, et c'est bien la première fois que j'entreprends une restauration à Rossiter depuis que je suis rentrée, la queue entre les jambes, et que je me suis mise à travailler avec papa ! Ceux qui vivent dans des demeures assez anciennes pour requérir mes services ou qui peuvent se permettre de m'engager ne sont pas si nombreux par ici, tu sais.

— Oui, mais cette rénovation-là va nécessiter un certain temps, souligna Bernice en désignant du pouce la demeure Delaney, par-dessus son épaule. Mlle Addy ne l'a absolument pas entretenue au cours des vingt années où elle y a vécu, après que Mlle Maribelle la lui a laissée, à sa mort.

Elle se pencha au-dessus du comptoir et murmura :

— Je donnerais ma main à couper que tous les mulots du secteur se donnaient rendez-vous dans cette maison. Après la mort de Mlle Addy, ils se sont tous rabattus ici ; j'ai dû faire procéder à deux fumigations pour en débarrasser le café.

— Ils n'ont pas tous migré. Papa m'a dit qu'il a fallu deux interventions des services de désinfection dans la maison, en janvier.

Tout à coup, depuis l'extérieur, un long gémissement aigu s'éleva, crût en intensité jusqu'à déchirer l'air, tel le hurlement de la sirène d'alerte de tornades.

Un fermier grisonnant assis avec une demi-douzaine d'amis leva les yeux de sa tasse de café, soupira et regarda Ann par-dessus ses lunettes.

— Va donc faire taire ce vacarme. On a le droit de prendre notre petit déjeuner tranquillement, tout de même.

— Oui, m'sieur.

Ann posa deux dollars sur le comptoir et se laissa glisser à bas de son tabouret.

Une deuxième plainte vibra dans l'air. Derrière elle, Ann entendit l'assemblée de fermiers pester à voix basse tandis qu'elle poussait la porte.

— Ça suffit, Dante, lança-t-elle à l'adresse de l'énorme chien noir aux yeux tristes qui était attaché à un poteau, devant le café.

Il secoua ses lourdes bajoues, mais cessa de hurler à la mort.

— O.K., mon vieux. Il est temps de se mettre au travail.

Paul Bouvet avait découvert, lors de sa première visite à Rossiter, que le café situé à côté de la résidence Delaney faisait office de club de réunion du village. Il lui fallait donc trouver le moyen de s'y faire, sinon accepter, au moins tolérer par les autochtones qui y avaient leurs habitudes. Si sa mère était parvenue jusqu'à Rossiter, avant de disparaître, quelqu'un se souviendrait peut-être d'elle. Après tout, trente ans plus tôt, les étrangers de passage devaient être rares, par ici.

Il ne savait trop comment s'y prendre. Il ne pouvait évidemment pas poser de questions directes. Personne ne devait savoir qui il était ni la raison pour laquelle il était ici, tant qu'il n'aurait pas découvert ce qu'il était venu chercher. Le détective privé qu'avait engagé oncle Charlie avait perdu la trace de sa mère à la gare routière de Memphis. La piste s'était arrêtée net à cet endroit et les choses en étaient restées là… jusqu'à six mois auparavant.

Pourtant, toutes ces années après, Paul croyait savoir ce qui était arrivé à sa mère. Seules les preuves manquaient.

Elle avait vraisemblablement appelé son père de la station de bus. Et celui-ci avait dû s'empresser d'aller la retrouver là-bas ou quelque part, non loin. Le fier M. Delaney n'allait tout de même pas permettre à une petite Française de rien du tout de venir bouleverser sa vie à Rossiter ! Elle devait disparaître.

Alors, il était allé à sa rencontre, l'avait tuée et avait dissimulé son corps avec tant de soin qu'il n'avait jamais été découvert.

Quelle sorte d'homme était capable de commettre un acte aussi barbare sur une femme qui lui avait porté un amour si fort qu'elle avait quitté son pays pour lui, et l'avait recherché pendant six longues années sans jamais cesser de croire qu'il l'aimait, lui aussi ?

Paul avait vécu avec le spectre de sa mère morte et de son meurtrier — son propre père — pendant la majeure partie de sa vie. Le fait que ce meurtrier ait désormais un nom ne rendait pas les choses plus faciles.

Cette sordide histoire devait sortir au grand jour. Le corps de sa mère devait être retrouvé et enterré dignement. Paul voulait confronter la génération actuelle des Delaney à l'acte monstrueux que leur père avait perpétré.

Il voulait les voir souffrir comme il avait souffert.

Il voulait qu'ils connaissent la honte.

Au café, il s'installa dans un box, ouvrit le journal de Memphis et le plia en quatre, ainsi qu'il avait pris l'habitude de le faire dans le bus ou le métro, à New York ou dans le New Jersey. Il leva un regard surpris lorsque la propriétaire des lieux, une grande et belle femme blonde, s'approcha de lui.

— Un café ? s'enquit-elle.

Apparemment, à cette heure de la matinée, les clients n'avaient pas besoin de passer commande, ici.

— Euh… Oui, merci.

— Qu'est-ce que je vous sers à manger, avec ?

— Du pain complet grillé et un jus d'orange, s'il vous plaît.

L'espace d'un moment, elle le considéra en silence, puis elle tourna les talons, s'en retourna derrière son comptoir et disparut dans la cuisine. Il jeta un coup d'œil au groupe de fermiers, à deux tables de lui.

Dans un bar, en France, à cette heure-ci, les fermiers en étaient à leur troisième café et cognac. Ici, ces hommes, qui avaient l'air tout aussi rudes que des paysans français, sauçaient le reste de leurs œufs brouillés avec du pain de mie.

Tante Helaine et Giselle auraient sans doute plissé le nez de dégoût devant ce genre de nourriture. Mais, après des années de consommation forcée d'insipides plateaux-repas dans les avions de ligne et, pis encore, dans les aéroports, Paul s'estima pleinement satisfait du menu proposé. Au moins présentait-on ici des légumes verts, et pas seulement des frites.

— Le pain complet, annonça la serveuse, de retour près de sa table.

— Je crois que nous allons être voisins, enchaîna Paul.

Aussitôt, le visage de la serveuse s'illumina d'un sourire qui éclaira ses yeux noisette.

— Je me demandais si c'était vous. Bonjour.

Comme il s'apprêtait à se lever, elle éleva la main.

— On ne s'embarrasse pas de politesses ici, vous savez. Je m'appelle Bernice. Enchantée de faire votre connaissance. Je pensais que vous aviez rendez-vous avec le commissaire, ce matin ?

— Le commissaire ?

Elle rit.

— Buddy Jenkins. C'est le commissaire de police. L'entreprise de rénovation et de restauration Jenkins… C'est lui.

— Oh, dans ce cas… Oui, effectivement, je dois le rencontrer d'ici environ une dizaine de minutes.

— Dépêchez-vous de manger, alors. Buddy est toujours ponctuel… A part un cas d'excès de vitesse ou de conduite en état d'ivresse de temps à autre, il ne se commet pas beaucoup d'infractions, par ici.

Elle posa sur lui un regard curieusement dur.

— Oh, il y a bien eu quelques problèmes de drogue dans le comté… Mais nous avons fermement l'intention de veiller à ce que ça ne se reproduise pas.

Il sourit.

— Je comprends. Merci.

Tandis qu'il se replongeait dans la lecture de son journal, il s'avisa que toute conversation avait cessé dans le café. Les fermiers avaient pivoté sur leur chaise pour mieux l'observer. Dès l'instant où il leur sourit, ils se retournèrent aussitôt et se mirent à échanger des commentaires à voix basse, penchés au-dessus de la table.

En tant que nouvel arrivant dans un petit village, il s'était attendu à susciter la curiosité, mais cette attitude frisait le ridicule.

Il engloutit son petit déjeuner, paya sa note, gratifia la serveuse d'un généreux pourboire et s'en alla en adressant un signe de tête aux fermiers.

A Manhattan, des amas de neige sale s'entassaient toujours le long des rues. Ici, à soixante-dix kilomètres à l'est du Mississippi, le vent de mars était encore frais, mais il véhiculait des senteurs d'herbe grasse et de terre fraîchement retournée. On l'avait prévenu que l'été arrivait très brutalement dans l'ouest du Tennessee, mais la douceur de ce début de printemps compensait largement les excès annoncés du climat estival de la région. De toute façon, il avait prévu de faire installer la climatisation dans sa nouvelle maison.

A un certain moment, entre la fin de la Guerre Civile et la Prohibition, Rossiter avait dû être une bourgade prospère. La petite plaque fixée sur la première marche de l'escalier de son porche indiquait que la construction remontait à 1890. Une douzaine de propriétés similaires, situées sur la Grand-Rue, semblaient dater de la même période.

La voie ferrée courait toujours de l'autre côté de la place qui séparait la ville de la rivière Wolf, au nord, mais les trains ne ralentissaient même plus pour marquer l'existence de la petite commune.

Autrefois, elle avait dû s'enorgueillir d'une gare. Celle-ci devait se trouver à l'emplacement actuel du petit parc, avec son kiosque victorien rutilant et tarabiscoté, de l'autre côté du parking, en face du café.

Ce dernier était situé à un angle de ce qui restait de la place centrale de la ville. A l'époque où les Delaney avaient décidé de quitter leur plantation et d'édifier une belle demeure pour venir s'installer en ville, celle-ci devait être encombrée de chariots chargés de balles de coton, tirés par des chevaux. Le café n'existait probablement pas encore, alors. Des notables comme les Delaney n'auraient sûrement pas choisi de bâtir leur maison de famille à côté d'un café.

Les camionnettes et autres remorques à bétail, stationnées aujourd'hui n'importe comment dans le parking, n'étaient certes pas aussi romantiques.

La banque, une vieille épicerie et une salle de billard passablement décrépite bordaient la face sud de la place, de l'autre côté de la rue, en face du café. Trois belles maisons joliment restaurées formaient son côté ouest. Le rez-de-chaussée de la première abritait une agence immobilière et celui de la deuxième, un fleuriste. Le porche de la troisième s'ornait bizarrement d'un énorme grizzly de bois noir de quatre mètres de haut, qui semblait faire la publicité d'un magasin dont Paul aurait été bien incapable de décrypter la nature, à la distance à laquelle il se trouvait.

Le centre-ville de Rossiter était formé en tout et pour tout de ces quelques boutiques. Quant au centre commercial le plus proche, il était situé à trente kilomètres de là, sur la route de Memphis.

Paul consulta sa montre et s'avança à grandes enjambées vers la maison. *Sa* maison. Il ne parvenait pas encore à croire qu'il avait commis pareille folie. Agir sur une impulsion n'était pourtant pas dans sa nature.

Devant chez lui, les racines des énormes chênes et magnolias séculaires de son jardin avaient brisé le bitume du trottoir, formant des obstacles noueux qui rendaient son usage dangereux pour les piétons. Le conseil municipal — ou ce qui en tenait lieu, dans une aussi petite localité — ne s'inquiétait-il donc pas de ce genre de problème ? Peut-être les gens ne marchaient-ils pas, à Rossiter.

Lorsqu'il atteignit le chemin de briques qui conduisait à son porche, il s'arrêta un moment pour jouir du spectacle. Sa maison était plus récente, moins vaste et beaucoup plus modeste que Tara, d'*Autant en emporte le vent*, mais elle avait dû être réellement imposante en son temps.

Malheureusement, aujourd'hui, elle évoquait plutôt une prostituée vieillissante, essayant de faire bonne figure pour gagner tant bien que mal de quoi payer son prochain verre de whisky.

— Ta maison est à moi, maintenant, papa, espèce de salaud..., proféra Paul, plus fort qu'il n'en avait eu l'intention.

Derrière lui, il entendit un crissement de freins. Une voiture de patrouille arborant le sceau de Rossiter se gara le long du trottoir. Un homme en descendit.

Paul n'avait rencontré Buddy Jenkins qu'une seule fois, juste après l'acceptation de son offre d'achat de la maison. Dans le bureau de son agent immobilier, Buddy s'était présenté, vêtu d'un jean et d'un sweat-shirt à l'effigie de l'université du Tennessee. Ensuite, ils avaient communiqué par téléphone, tandis que Paul réglait ses affaires à New York et dans le New Jersey, mais jamais Buddy n'avait signalé qu'il était commissaire de police.

Dans une commune comme Rossiter, ce travail ne devait pas être très prenant. Pas étonnant qu'il ait monté une entreprise de rénovation.

Dans un premier temps, Paul avait hésité à confier ses travaux à un artisan local. Mais lorsqu'il avait demandé conseil à Memphis, c'était le nom de Buddy Jenkins qui était arrivé en tête de liste. Paul était donc allé jeter un coup d'œil aux théâtres, maisons particulières et autres bâtiments administratifs que ce dernier avait rénovés dans toute la région et, rapidement convaincu, il avait décidé d'engager Buddy.

— Je ne sais pas si vous parviendrez à faire affaire avec lui, avait déclaré Mme Hoddle, la directrice de l'agence immobilière. Son planning est souvent complet des mois à l'avance. Mais votre maison étant située à Rossiter même, peut-être réussirez-vous à le persuader d'accepter ce chantier.

Le devis établi par Buddy l'avait d'abord laissé sans voix, mais, renseignements pris auprès de ses amis new-yorkais, dont il apprit alors avec stupéfaction les fortunes qu'ils avaient dû débourser pour rénover leurs vieilles pierres, il s'était estimé relativement chanceux.

Paul voulait un travail impeccable. Maintenant qu'il s'était lancé dans ce projet insensé, dans cette *croisade* insensée, il fallait qu'il puisse revendre son bien en en tirant un bénéfice. Cela intensifierait encore son sentiment de victoire.

— Bonjour, monsieur Bouvet, lança Buddy Jenkins en s'avançant, la main tendue.

Dans son uniforme, l'homme semblait encore plus monumental. Sa chemise amidonnée moulait son torse musclé et ses larges épaules. Le peu de cheveux gris qui lui restait était ramené sur le côté et contrastait avec sa peau bronzée.

Jenkins devait peser dans les cent dix ou cent vingt kilos pour un mètre quatre-vingt dix. Dieu vienne en aide au contrevenant ivre qui aurait cherché à lui tenir tête ! Lui-même, avec ses quatre-vingts kilos et son mètre quatre-vingts, se sentait presque petit face à lui.

— Prêt à entendre la mauvaise nouvelle ? questionna gaiement Buddy.

— Hum… Pas vraiment, mais je suppose que cela ne servirait à rien d'atermoyer.

— La bonne nouvelle d'abord, alors : dans trois mois environ, cette vicillc demeure aura retrouvé tout le cachet qu'elle avait lorsque les Delaney ont pour la première fois mis le pied à l'intérieur.

— Trois mois ?

— Oui… Enfin, disons cinq au grand maximum.

— Et la mauvaise nouvelle ?

— Venez, je vais vous montrer, dit Buddy en plongeant la main dans sa poche pour en sortir une clé.

— Si ça ne vous ennuie pas, Buddy, j'aimerais me servir de ma propre clé.

— Mais bien entendu !

Le visage de Buddy se fendit d'un sourire.

— C'est la première fois que vous l'utilisez ?

— Oui, depuis que j'ai fait changer la serrure.

La porte d'entrée, avec son vitrail ovale au milieu, était d'origine. L'ancienne serrure de laiton était toujours en place, mais c'était désormais la serrure Yale flambant neuve qui permettait d'ouvrir et de verrouiller la porte.

— Commençons par le sous-sol, annonça Buddy. Nous avons une autorisation provisoire pour l'électricité afin que nous puissions y voir pour rénover l'installation et changer les fils.

— Tous ?

— Tous, confirma sans hésitation Buddy. Attention à votre tête…

Pendant une heure, Paul écouta Buddy lui dresser le bilan exhaustif du désastre annoncé.

— Il faudra étayer un angle de la maison pour remplacer, au moins en partie, les piliers de soutènement, expliqua Buddy. Il y a des termites. Si nous ne commençons pas par là, aucun inspecteur ne vous donnera l'agrément pour les rénovations.

Paul hocha lentement la tête.

— Je vous montrerai lorsque nous serons au grenier. Evidemment, il faut également refaire le toit… Charpente *et* couverture, bien sûr.

Une heure plus tard, après avoir arpenté le grenier, inspecté la plomberie des salles de bains et s'être tordu le cou pour scruter les conduits de cheminée, Paul était encore plus découragé.

Lorsqu'ils entrèrent enfin dans la cuisine, Buddy déclara :

— L'électro-ménager est à changer. J'ai déjà un cuisiniste qui s'occupe d'élaborer le plan d'une cuisine complètement réaménagée.

Il regarda son client.

— Ça va ? Pas trop déprimé ?

— Je survivrai. Enfin… Je crois.

— Bon. Venons-en maintenant à la partie « restauration ». Suivez-moi.

Buddy poussa les portes coulissantes qui ouvraient sur le petit salon, à l'arrière de la maison. Il désigna le piano à queue Steinway placé dans le renfoncement formé par la grande fenêtre en saillie.

— Ce n'est pas tout à fait un piano de concert, même si c'est ce que faisait croire Mlle Addy à ses élèves.

— En tout cas, il est magnifique.

— Il est à vous.

— Je sais, mais je ne comprends pas pourquoi il a été encastré de cette façon, littéralement intégré à la maison ?

— L'ancêtre Delaney qui a construit la maison en 1890 estimait que ses filles devraient savoir jouer du piano. Il a acheté cet instrument et construit la pièce de musique autour.

— Ah ? souligna négligemment Paul. J'avais cru comprendre que l'homme qui avait édifié cette maison n'avait qu'un fils ?

Paul se mordit la langue. A ce stade, il n'était pas censé savoir grand-chose des Delaney.

— Il avait une fille qui est morte de la fièvre jaune à quatre ou cinq ans.

Buddy considéra Paul, intrigué.

— Comment se fait-il que vous ayez entendu parler du fils ?

— Je... Après avoir acheté la maison, je me suis rendu aux archives historiques pour en savoir un peu plus sur ses habitants. Simple curiosité, vous comprenez ?

Cela parut satisfaire le commissaire, qui hocha la tête, mais Paul se jura de se montrer plus prudent à l'avenir.

Buddy s'avança jusqu'au monumental instrument et plaqua un « do » du bout de l'index.

— Il a besoin d'être accordé. Ann pense pouvoir restaurer les cordes, les marteaux et l'ivoire des touches.

— Ann ?

— Oui. Elle se charge de la partie « restauration » dans l'entreprise. C'est elle qui va débarrasser vos cheminées de leurs vieilles couches de peinture et recréer les trumeaux sculptés qui ont disparu. Et toutes sortes d'autres choses de ce genre.

— Oh, je vois.

— Elle restaure principalement l'architecture intérieure et la décoration. Comme ce revêtement mural dans la salle à manger. C'est un joli papier de riz chinois que le vieux M. Delaney avait fait importer. Vous n'aviez pas l'intention de l'arracher, au moins ?

— Bien sûr que non, s'il peut être rafraîchi.

— Ne vous inquiétez pas : si la chose est faisable, Ann le remettra à neuf. Elle accomplit des miracles. Elle a travaillé pour des cabinets de restauration d'œuvres d'art à Washington et à New York pendant pas mal de temps.

— Bien, parfait… Alors, c'est décidé : ce sera Ann.

Paul se tourna vers la fenêtre en saillie et désigna, au travers des vitres sales, un vieux bâtiment, en contrebas, à l'arrière de la maison.

— C'est quoi, là-bas ?

— Le pavillon d'été. Je ne sais pas encore s'il sera possible de le conserver, mais dans tous les cas, nous devrions pouvoir récupérer suffisamment de bois pour rebâtir au moins la pergola. Vous pourriez l'utiliser comme pool-house, si vous construisez une piscine.

— Non, non, pas de piscine. Une fontaine, peut-être, mais nous verrons ça plus tard.

— Quand retournez-vous dans le New Jersey ?

— Mais je n'y retourne plus. J'ai sous-loué mon appartement.

— Comment ? Vous n'avez tout de même pas l'intention de vivre dans la maison ? se récria Buddy, l'air horrifié. Pas avant que j'aie terminé les travaux ?

— Eh bien, en fait... Si. Mais je camperai, ne vous faites pas de souci. J'ai l'habitude. Si la plomberie fonctionne, j'installerai simplement un matelas dans la chambre de derrière et le tour sera joué.

— Mon garçon, les nuits sont encore froides, à cette époque. Le vieux chauffe-eau tiendra peut-être jusqu'à ce que nous le changions, mais ce n'est pas sûr. Sans compter la poussière et le bruit. Vous êtes sûr de vouloir rester ?

— Ecoutez, je vais tenter l'expérience. Si c'est trop inconfortable, je pourrai toujours me réfugier de temps en temps dans un motel.

Buddy gratta son crâne presque chauve.

— A vous de voir, mais je vous le déconseille. Vous comptiez pouvoir cuisiner ?

Paul se mit à rire.

— Pas avec le café juste à côté, non.

— Bon. Parce que cette vieille cuisinière pourrait très bien vous exploser à la figure dès la première tentative d'allumage du four.

Paul suivit Buddy jusque dans l'entrée et lui ouvrit la porte. Après tout, c'était lui le maître des lieux, désormais. Quelle étrange sensation ! Lui qui n'avait jamais possédé une maison, ni même un appartement de toute sa vie.

— Mon équipe sera sur le pied de guerre, ici, dès demain matin, annonça Buddy. Je vous laisse... Je dois retourner à mes obligations policières.

— Entendu. Au revoir.

Paul referma la porte et se cala contre le battant, tout à son désir de se laisser imprégner de l'atmosphère du lieu. Peut-être de rencontrer un fantôme ? Ne disait-on pas d'eux qu'ils étaient des âmes en peine, condamnées à errer sur terre pour s'acquitter des crimes qu'ils avaient commis de leur vivant ?

Si c'était vrai, alors un revenant, au moins, devait hanter les couloirs de la demeure Delaney. Celui de son père.

2.

L'épaule de Paul lui faisait mal. Il retourna à son motel en conduisant d'une seule main. Son bras droit ne récupérerait jamais tout à fait sa mobilité. Malgré toutes les opérations et les séances de kinésithérapie qu'il avait subies, on l'avait prévenu que la douleur ne disparaîtrait jamais complètement.

L'humidité et le froid qui régnaient dans la maison Delaney ne contribuaient pas à améliorer les choses. Il aurait mieux fait de partir en même temps que Buddy Jenkins, au lieu de continuer à explorer l'endroit. D'autant qu'il n'avait rien découvert d'intéressant. Ni le sous-sol ni le grenier n'avaient révélé la moindre cachette secrète. Il poursuivrait son exploration plus tard, lorsqu'il aurait pris un peu de repos.

Une autre nuit dans un bon lit s'imposait ; ce n'était pas un luxe qu'il s'octroyait, mais bel et bien une nécessité.

Il aurait bien le temps d'organiser son campement le lendemain. Et puis, si son installation sommaire dans la maison se révélait trop délicate, il reviendrait dormir au motel.

Il referma la porte de sa chambre, posa la clé sur la commode et s'affala sur le grand lit. A l'époque où il officiait comme pilote de ligne, il avait passé bien trop de nuits dans des chambres impersonnelles comme celle-ci. Parfois, lorsque son réveil sonnait, il devait consulter le carnet à côté du téléphone pour se rappeler l'endroit où il était. Jamais il n'aurait cru, alors, qu'il regretterait un jour ces moments-là. Et pourtant, si son épaule et son bras droits avaient pu retrouver la force qu'ils avaient avant l'agression, il ne se serait plus jamais plaint du rythme infernal de sa vie d'autrefois.

Mais cela n'arriverait pas, de toute façon. Au moins avait-il eu la chance, lui, de recevoir l'agrément, après avoir passé la visite médicale qui conditionnait la conservation du brevet de pilote professionnel. Il pouvait encore voler à bord de son petit avion personnel et commencerait à travailler dans l'épandage aérien des pesticides d'ici à quelques semaines, à la base aéronautique locale. Donc, en un sens, le ciel lui appartenait encore. Ce qui n'était pas le cas de Doug Slaterly et de Bill McClure qui, eux, ne pourraient plus jamais voler. Doug souffrait de trous de mémoire et de tremblements persistants. Quant à Bill, il avait perdu la vue de son œil droit et, avec elle, la profondeur de champ.

Tout cela parce qu'un de leurs collègues, pris d'une bouffée délirante, avait décidé de faire s'écraser l'avion de transport L-10 aux commandes duquel ils se trouvaient afin que sa famille puisse bénéficier de l'assurance-vie qu'il avait contractée.

Ils avaient tous une expérience militaire, mais l'attaque avait été si soudaine qu'ils avaient tous été gravement blessés avant de pouvoir réagir. C'était un miracle que Doug soit resté conscient et ait réussi à contenir leur agresseur pour permettre à Paul de faire faire demi-tour à l'avion et de le maintenir en altitude.

Au bout du compte, ils avaient réussi à le désarmer et à poser l'avion sans que personne n'ait été tué, mais au prix de blessures lourdes de conséquences pour les membres de l'équipage. Paul sourit tristement. Le forcené qui les avait causées était le seul à avoir finalement obtenu ce qu'il cherchait : après l'atterrissage, un tireur d'élite de la police l'avait tué, et la compagnie d'assurances avait dû verser la double indemnité tellement convoitée par son cerveau dérangé.

Les trois survivants — Bill, le navigateur, Doug, le copilote et Paul, le pilote — avaient reçu de substantielles indemnités. La compagnie préférait éviter toute publicité risquant d'entacher l'image de marque de la société ; aussi étaient-ils convenus d'un règlement à l'amiable extrêmement généreux.

Mais il aurait donné sa main à couper que Bill et Doug auraient rendu avec le même plaisir que lui les six millions de dollars qui leur avaient été octroyés à chacun, si cela avait pu leur rendre travail et condition physique.

Aux dernières nouvelles, Doug envisageait d'ouvrir un restaurant de fruits de mer à Coral Gables. Il ne savait rien des projets de Bill. En revanche, contrairement au sien, leurs couples avaient survécu à la tempête, même si Bill et Janey s'étaient séparés pendant quelque temps.

Peut-être était-ce le fait qu'ils étaient mariés et avaient des enfants qui les avait réunis ? Ce n'avait pas été le cas de Paul et de Tracy. Tracy l'avait soutenu le temps de son séjour à l'hôpital, puis pendant le premier mois de sa période de rééducation. Mais elle avait fini par rompre leurs fiançailles.

Il ne l'en blâmait pas. Tracy avait été hôtesse de l'air pendant suffisamment longtemps pour n'avoir que l'embarras du choix. Elle avait souhaité se marier avec un pilote de ligne, pas avec un homme maussade, au bras estropié et qui ne savait pas ce qu'il allait faire du reste de sa vie. Ce n'était pas *elle* qui avait changé, mais lui.

La rupture avait été pénible. Tous deux avaient tenu des propos terribles qui ne pouvaient être oubliés.

Un mois plus tôt, Tracy lui avait envoyé un faire-part et une invitation à son mariage avec un pilote travaillant pour l'une des plus importantes compagnies de transport aérien.

Il lui avait envoyé un plateau en argent d'un prix exorbitant et avait célébré l'occasion en buvant du whisky plus que de raison, tout seul chez lui.

Il s'immergea pendant une heure dans un bain, puis dormit pendant une autre heure et repartit ensuite pour la maison. L'envie de poursuivre encore un peu ses recherches était trop forte.

Mme Hoddle, de l'agence immobilière, lui avait dit qu'il ne restait rien de l'époque Delaney. L'héritier avait chargé un commissaire-priseur de vendre aux enchères tout ce que lui et son épouse ne désiraient pas. Un brocanteur avait emporté le reste.

Paul gara la voiture sur la plate-forme de goudron fissurée, à l'arrière de la maison. Pas de garage, évidemment. Il mit pied à terre dans les herbes folles où s'étendait jadis la pelouse, derrière la maison. Il eut la surprise d'apercevoir, sous le chiendent, un motif de bâtons rompus. Il devait y avoir eu ici une sorte de patio. Il se fraya un chemin dans l'enchevêtrement de végétation jusqu'à ce qu'il se retrouve cerné par des buissons de rosiers à l'abandon.

Des années d'absence de taille n'avaient pas eu raison d'eux ; derrière les longues bractées qui jaillissaient en tous sens et accrochaient ses vêtements, de jeunes pousses vert clair se distinguaient. Peut-être serait-il possible de les sauver ?

Il longea le pavillon d'été dont avait parlé Buddy. La porte était munie d'un lourd cadenas. Regardant autour de lui, Paul estima qu'il ne pourrait pas atteindre la clôture qui délimitait l'arrière de la propriété sans l'aide d'une machette, aussi rebroussa-t-il chemin.

Imposante sur l'avant, la maison, vue de derrière, était beaucoup moins impressionnante. On discernait à peine le contour du piano à travers les vitres encrassées du salon de musique. A gauche de cette pièce, la paroi vitrée de la serre occupait le reste de la façade. A en juger par la couche de poussière et les festons de toiles d'araignées, personne n'avait lavé ces carreaux au cours des vingt dernières années.

Il gravit les deux marches qui conduisaient à la porte de derrière et engagea sa clé dans la nouvelle serrure. La porte pivota silencieusement sur ses gonds huilés. L'œuvre de Buddy, sans doute. Paul aperçut les ombres des arbres du jardin, sur l'avant de la maison, au travers du vitrail de la porte d'entrée.

Il pénétra dans la cuisine.

Un antique billot de bois entaillé par des coups de couteau faisait office de table, au centre de la pièce.

Tout à coup, le son légèrement faussé du piano retentit.

Les poils se dressèrent sur ses avant-bras. Son premier fantôme ?

Se ressaisissant au bout d'un instant, il écouta plus attentivement. Debussy ou, peut-être, Ravel. Une mélodie familière qu'il ne parvint pas à identifier plus précisément.

Lorsqu'il avait jeté un coup d'œil par la fenêtre, un peu plus tôt, il n'avait aperçu aucune silhouette dans la pièce. Il n'y avait pas non plus de voiture garée dans l'allée.

Buddy était le seul à posséder une autre clé, mais Buddy ne semblait pas du genre à apprécier particulièrement Debussy ou Ravel.

Paul s'apprêta à signaler sa présence, puis referma la bouche. Comme il ne croyait pas aux fantômes, dix doigts humains devaient bel et bien être en train de jouer les notes qu'il entendait. Si le pianiste se croyait lui aussi seul dans la maison, il risquait de provoquer chez lui une crise cardiaque. C'était bien ce qui avait failli lui arriver, *à lui*.

La musique s'interrompit brutalement.

Paul attendit un moment, puis traversa le hall central. La porte ouvrant sur le salon de musique était entrebâillée. Il risqua un coup d'œil à l'intérieur.

Personne. La pièce était déserte. De même que le grand salon au-delà.

Il entra. Vide. Complètement vide. Etait-il sujet à des hallucinations ? Le couvercle du piano était soulevé. Il revit Buddy en train de le rabattre après lui avoir montré combien les touches d'ivoire étaient décolorées.

Il toucha le tabouret. Encore tiède. A sa connaissance, les fantômes ne dégageaient pas de chaleur humaine.

Il y avait bien quelqu'un dans la maison. Crise cardiaque ou pas, il était temps de faire savoir qu'il était là.

Il ouvrait la bouche une nouvelle fois lorsqu'une énorme forme noire fonça sur lui depuis le hall et lui sauta sur la poitrine.

Il sentit ses pieds patiner sur le parquet et il tomba à la renverse, parvenant tout juste à éviter de se cogner la tête contre le sol.

Il réussit plus ou moins à reprendre son souffle tandis qu'une longue langue marron lui balayait tout le visage.

— Pousse-toi de là ! grommela Paul, tant bien que mal.

Pour autant qu'il sache, les chiens d'attaque n'avaient pas pour habitude de lécher leurs victimes.

— Dante !

Des pas précipités résonnèrent dans l'escalier de derrière. Un instant plus tard, il aperçut une silhouette qui se profilait dans l'embrasure sombre de la porte.

— Qu'est-ce que vous faites là ?

— Je pourrais vous retourner la même question, souligna-t-il. Rappelez votre molosse.

— Dante, laisse-le tranquille. Couché !

Dante gratifia Paul d'un dernier coup de langue, puis s'assit à côté de lui en le considérant d'un œil penaud.

— De quelle race est ce chien ? Je n'en ai jamais vu de pareil.

— C'est un dogue napolitain.

Paul lutta pour se redresser et se retrouva nez à nez avec le dogue.

— Comparé à lui, un saint-bernard aurait l'air guilleret.

— En fait, c'est un chien très heureux. C'est juste son regard abattu et tous ces plis qui lui donnent l'air accablé. Ecoutez, je suis confuse. Il ne vous a pas blessé, au moins ?

— Non. Seule ma dignité en a pris un coup, mademoiselle… ?

— Ann Corrigan.

Elle tendit le bras et l'aida à se relever.

— Ah, vous êtes donc la restauratrice dont Buddy m'a parlé.

— Je suppose que vous êtes M. Bouvet. Voulez-vous vous asseoir ?

— Non, je ne suis pas décrépit à ce point, merci.

— Ce n'est pas ce que... Je suppose que vous avez entendu le piano. Buddy m'avait assuré que vous ne reviendriez pas aujourd'hui ; alors, j'ai emprunté sa clé pour commencer à prendre des photos de l'intérieur de la maison. Mais quand j'ai vu le piano, je n'ai pas pu résister.

— Vous jouez bien.

— Non, repartit Ann en riant. Je ne peux jouer qu'un tempo lent et un style de musique facile. Et encore, avec beaucoup d'erreurs. Pourtant, je passais tous mes mardis après-midi ici, sur ce tabouret, quand j'étais enfant. Mlle Addy me donnait des leçons.

— L'ancienne propriétaire de la maison.

— Elle l'est devenue après la mort de sa sœur. La maison appartenait aux Delaney. Lorsque Mme Delaney est décédée, elle en a laissé l'usufruit à sa sœur. La plupart des enfants du comté ont dû apprendre le piano ici, avec Mlle Addy. Je ne comptais pas au nombre des plus doués. Je préférais participer aux chasses à courre ou jouer au softball. Je détestais les gammes. Berk ! Maintenant, évidemment, je regrette de n'avoir pas travaillé davantage.

— Moi, je me suis essayé au tuba dans l'orchestre du lycée. Grave erreur. Cette lubie n'a duré que six semaines. Le football me semblait plus facile, mais je n'étais pas assez grand pour intégrer une équipe universitaire.

Dante n'avait pas bougé, mais suivait la conversation, tel un spectateur de tennis, tournant la tête d'un côté puis de l'autre.

Anne tendit la main en avant, paume vers le haut. Le chien se dressa sur ses pattes et vint se poster à son côté. Il n'avait pas de queue, si bien que son arrière-train remuait tout entier pour manifester sa joie.

— Ecoutez, nous n'allons pas rester ici, à discuter debout, au milieu de cette pièce. Allons nous asseoir dans la serre... si vous ne craignez pas de vous salir.

Paul lui emboîta le pas et franchit l'arche, sur la gauche, qui permettait d'accéder à la serre.

Elle se percha sur un gros coussin.

— C'est poussiéreux, bien sûr.

Il s'assit assez loin d'elle pour pouvoir l'observer à sa guise.

— Dante accueille-t-il toujours les gens avec un tel enthousiasme ?

— Encore une fois, je suis navrée. Je passe beaucoup de temps toute seule dans de vieux bâtiments déserts. Parfois, quand le travail avance bien, il m'arrive de continuer à travailler la nuit. Il n'y a jamais de rideaux aux fenêtres, donc c'est un peu comme si j'étais sur une scène, sous les projecteurs, tandis que le reste du monde est tapi dans l'obscurité, dehors. C'est pourquoi je me suis décidée à prendre un garde du corps, Dante.

En entendant son nom, l'animal posa sa tête sur les genoux d'Ann. Elle le caressa derrière ses petites oreilles en pointe.

— Il n'est pas très bon gardien, même s'il impressionne par sa taille, nota Paul.

— Il n'a jamais mordu âme qui vive, mais le seul fait d'avoir une masse de quatre-vingts kilos qui vous saute à la gorge pour vous lécher le visage a de quoi déclencher un infarctus chez le cambrioleur le plus averti. Enfin, du moins, est-cc ainsi que je me console.

— C'est bien ce qui a failli m'arriver.

— Pourtant, il se tient tranquille, habituellement. La maison étant vide, il a dû s'imaginer que je travaillais. Il se comporte parfois comme un gros pataud doté d'une cervelle minuscule.

— Sa présence vous a-t-elle déjà été utile ?

— Une ou deux fois, quand j'étais à Washington D.C., il a aboyé et, peut-être, éloigné des rôdeurs. Mais pas depuis que je suis ici, bien sûr.

— Buddy m'a dit que vous connaissiez bien la maison.

— Comme ma poche. Mlle Addy était non seulement mon professeur de piano, mais aussi ma grand-tante.

Paul se figea subitement. Ann Corrigan était une Delaney ?

— Alors, l'ancienne propriétaire était aussi de votre famille ?

— Oui, Maribelle. C'est elle qui avait épousé un Delaney et qui a hérité de la maison à la mort de son mari. Mais tante

Addy a toujours vécu avec elle ; tante Maribelle ne voulait pas qu'elle déménage. La troisième sœur, la plus jeune, est ma grand-mère.

— Est-elle toujours… ?

— En vie ? acheva Ann avec un sourire. Plus que jamais.

— Vous êtes donc une authentique Delaney.

Elle haussa une épaule.

— Une cousine par alliance, disons. Vous savez, par ici, tout le monde est plus ou moins parent avec tout le monde.

Paul l'étudia attentivement pour la première fois, essayant de discerner dans ses traits quelque chose qui trahirait sa parenté, même éloignée, avec les Delaney. Puis il se ravisa, jugeant qu'elle valait largement la peine d'être examinée pour elle-même, et pas seulement pour ce qu'elle représentait.

De taille moyenne, de corpulence moyenne, les cheveux châtains, assez longs et noués à l'aide d'un foulard rouge, elle était pourvue d'un physique aux courbes attrayantes, avec de longues jambes et une poitrine généreuse.

Quelque chose, en elle, donnait l'impression qu'elle devait avoir le rire facile — le genre de fille que la génération précédente aurait volontiers qualifiée d'« heureuse nature ».

Son visage avait une ossature trop nettement dessinée pour évoquer une beauté classique, sa bouche était peut-être un peu trop grande. Y goûter serait d'ailleurs certainement plaisant...

Quant à ses yeux, c'était sans conteste son point le plus fort. Ils étaient grands, légèrement étirés vers les tempes et de ce bleu-vert qui changeait de couleur selon l'humeur du moment ou la teinte du ciel. Bien que toute trace de rouge à lèvres se soit depuis longtemps effacée de ses lèvres — à supposer qu'elle en ait porté —, sa bouche arborait toujours la couleur appétissante d'une grenade pas tout à fait mûre.

Paul, décidément, ne trouva nulle similitude avec la seule photo qu'il possédait d'un membre du clan Delaney.

Elle ne ressemblait pas non plus aux hôtesses de l'air longilignes qu'il avait l'habitude de côtoyer, mais, à en juger par les muscles de ses bras, elle était en parfaite forme physique. Sans doute son travail requérait-il une certaine force. Il éprouva une attirance immédiate pour elle.

Il ne s'était certainement pas attendu à rencontrer une femme comme elle, à Rossiter.

— Si vous voulez connaître l'histoire de la maison et de la famille, vous pouvez aller faire des recherches à la bibliothèque et aux archives de Somerville. Il existe aussi une publication quotidienne, dans le comté de Fayette, dont la création date d'avant la Guerre Civile.

Il se raidit.

— Pourquoi pensez-vous que je sois intéressé à ce point-là ?

— Eh bien... Comme vous venez d'acquérir la maison...

— C'est vrai. Maintenant qu'elle est à moi, je devrais essayer de réunir toutes les informations possibles à son sujet. Je n'ai jamais eu une vieille maison à moi, avec un passé, vous comprenez...

— Je peux vous dresser la liste d'un certain nombre de films qui vous donneraient le frisson ! Plus encore que le verdict de Buddy...

— Ah... Alors, vous aussi, vous pensez que j'ai fait une mauvaise affaire ?

Elle leva les deux mains en signe de dénégation.

— Oh, non ! Une affaire merveilleuse, au contraire. C'est seulement que vous allez devoir vivre l'enfer pendant trois ou quatre mois, avant d'accéder au paradis.

— C'est un moindre mal, alors. Quelques mois de purgatoire contre une éternité au paradis… !

— Vous êtes optimiste, c'est bien. Mais nous en reparlerons dans un mois, conclut-elle en riant.

Elle se leva et Dante vint s'asseoir à ses pieds, sur sa gauche.

— Je suis ravie d'avoir fait votre connaissance, mais il faut vraiment que j'aille m'occuper de ces clichés avant que la lumière ne décline trop.

Il se redressa, lui aussi.

— Vous prenez des photos de quoi ?

— Des détails architecturaux qu'il va me falloir reconstruire. Des chapiteaux et des pilastres, à l'extérieur, qu'il nous faudra peut-être reconstituer ou copier entièrement. Et puis du stuc de l'escalier…

— Du stuc ?

— Oui. Vous savez, cette technique d'application de plâtre qui consiste à imiter le marbre. Vous ne pensiez pas que l'escalier était en marbre véritable ?

— J'ai cru qu'il s'agissait d'un fini particulier de peinture.

Ann rit.

— Oubliez cette idée. J'ai déjà des clichés des trumeaux de cheminée, mais je préfère en prendre quelques autres avant que les ouvriers ne commencent à tout nettoyer.

— D'après Buddy, vous devriez pouvoir sauvegarder le revêtement mural de la salle à manger.

— Oui, s'il ne se déchire pas. Il est très fragile. Dans le pire des cas, vous pourrez toujours en tirer un paravent, si j'arrive à le décoller du mur… Bien. Désolée d'avoir fait votre connaissance dans ces circonstances, mais je suis ravie de vous avoir rencontré. La prochaine fois, Dante saura que vous êtes un ami. Il ne vous sautera pas dessus !

— Super.

Il s'arrêta dans le hall d'entrée.

— Je n'ai pas vu de voiture dans l'allée ?

— Oh, non, je suis venue à pied. J'habite au-dessus de la boutique du fleuriste, au niveau du grenier. En fait, j'occupe également celui qui se trouve au-dessus de l'agence immobilière. Je les ai transformés en une sorte de loft. J'en utilise une partie pour vivre, et l'autre, comme atelier.

— A ce propos, je me demandais ce qu'il y avait, dans la dernière maison. Celle où il y a l'ours.

— Oh, c'est Trey Delaney qui l'utilise comme bureau annexe lorsqu'il veut rester éloigné de la ferme.

Elle agita les sourcils.

— Ainsi que de sa femme Sue et des enfants. Bien… Je monte.

— Au revoir. Je rentre à mon motel.

Il la regarda trotter en direction de l'escalier, son appareil numérique déjà à la main. Dante la suivit, ses griffes tintant contre les marches.

Il regarda le jean moulant disparaître au tournant de l'escalier. Joli spectacle que celui d'une femme aux courbes véritablement féminines... Le genre de femme qu'un homme aimait à tenir dans ses bras.

Il était prêt à parier que, même vêtue d'un jean, elle attirait les regards masculins lorsqu'elle entrait dans un restaurant. Il se dégageait d'elle une aura de sexualité, de passion qui se terrait juste sous la surface. Quelque chose lui souffla qu'elle n'en avait pas le moins du monde conscience.

Il coupa court à ses digressions intérieures. Il n'était pas venu à Rossiter pour chercher une compagnie féminine, aussi charmante fût-elle. Et surtout pas celle d'une Delaney, même si elle n'était qu'une cousine éloignée. *Sa* cousine éloignée, en fait, bien qu'il eût été incapable de décrire plus précisément le lien de parenté qui les unissait, Ann et lui. Il avait une mission à accomplir, vis-à-vis non seulement de tante Helaine, mais aussi de sa mère.

Ainsi donc, Trey Delaney utilisait ce bureau, avec l'ours au-dehors. Paul devrait découvrir quelle histoire cachait cet animal exhibé ainsi sur le trottoir. Cela lui fournirait peut-être le prétexte dont il avait besoin pour poser des questions sur Trey, au café. Il avait très envie de rencontrer ce dernier, d'ailleurs. C'était toujours mieux de connaître son ennemi. Et puis, après tout, ils étaient parents, non ?

3.

Quand Paul rentra à son motel après un rapide dîner, il ne rêvait que d'une seule chose : une douche chaude et son lit. Mais il ne pouvait se permettre de sauter l'étape de ses exercices quotidiens de kinésithérapie.

Sa satanée épaule ne le gênait plus seulement, elle l'élançait douloureusement. L'épisode du chien n'y était pas étranger, évidemment.

Il alluma la télévision, coupa le son, empoigna le téléphone et composa le numéro de Giselle. Une voix masculine aux intonations blasées lui répondit.

— Harry ? C'est oncle Paul. Puis-je parler à ta maman ?

Sans répondre, l'adolescent appela sa mère.

— Harry, franchement ! Tu as autant de manières qu'une tarentule ! Et baisse-moi cette musique !

La voix de sa cousine, radoucie, résonna à l'autre bout du fil.

— Paul ? Tu ne m'as pas appelée, hier soir ? Je m'inquiétais.

— Désolé, Giselle. Il était tard ; je n'ai pas voulu te déranger.

— Le principal est que tu sois bien arrivé… S'il te plaît, dis-moi que tu as renoncé à cette idée folle et décidé de rentrer à la maison. Que je puisse m'occuper de toi comme il se doit !

— T'occuper de moi ? Alors que tu as un mari et deux garçons en pleine crise d'adolescence ? Ils ne te donnent pas suffisamment de fil à retordre ? Giselle, je suis capable de me débrouiller seul.

— Pfff !

La consonance française de l'onomatopée résonna, familière, à ses oreilles. Giselle parlait l'anglais et le français sans accent, mais lorsqu'elle s'énervait ou qu'elle était émue, c'était toujours le français qui prenait le dessus.

— Ta place n'est pas là-bas, Paul. Qu'y gagneras-tu ? Tu ne découvriras rien de plus. Ce Paul David Delaney est mort et enterré depuis belle lurette, à supposer que ce soit le bon Paul David Delaney, d'ailleurs !

— Oh, c'est bien lui, pas de doute. Mon honorable père ! Pilier de la bonne société, plus grosse fortune du comté, celui qui a épousé et abandonné ma mère avant de la tuer parce qu'elle avait retrouvé sa trace !

— Je sais que c'est ce que vous croyiez, maman et toi, mais tu pourrais très bien avoir tort. D'après le détective, elle aurait pu être agressée en chemin, tuée par un fou qui l'aurait fait monter en voiture, par exemple. Tu n'es même pas certain qu'elle ait revu ton père après son départ pour Memphis.

— Ta mère, tante Helaine, n'a jamais cru à une coïncidence pareille. Et moi non plus, je n'y crois pas. Non, il l'a tuée, c'est évident. Je l'ai toujours su, au plus profond de moi. Simplement, avant, je n'avais pas la possibilité de mener mon enquête.

— Son corps n'a jamais été retrouvé.

— C'est un argument supplémentaire. Je veux découvrir ce qu'il a fait d'elle et veiller à ce qu'elle soit enterrée dignement.

— Au bout de trente années ? De toute façon, tu ne pourras jamais traîner un mort en justice.

— Je veux que quelqu'un paie, quoi qu'il en soit. Je veux forcer chacun des Delaney survivants à regarder en face le forfait commis par Paul David Delaney. Je veux qu'ils reconnaissent publiquement que mon père était un meurtrier.

— Mais la présente génération n'a rien à voir avec ça. Ceux qui auraient pu avoir des informations sont sûrement morts depuis longtemps.

— La génération actuelle a profité de la mort de ma mère. Pourquoi seraient-ils autorisés à vivre leur vie paisiblement, en s'imaginant que leur père était un modèle de vertu ? J'ai promis à tante Helaine que je révélerai au grand jour la véritable nature de mon père, et je tiendrai parole. A eux de se débrouiller ensuite avec la vérité, pour changer.

— Alors, va voir le fils, fais-lui part de tes soupçons. C'est ton demi-frère, après tout.

— Pour que le clan tout entier resserre les rangs et fasse front contre moi ? Non, personne, ici, ne doit savoir qui je suis. Pas tant que je n'aurai pas en main les preuves irréfutables de la culpabilité de mon père ! Maintenant que j'ai acheté leur maison de famille, j'ai une couverture idéale. Que je veuille connaître le passé de la maison et de ses anciens propriétaires est parfaitement naturel. Les gens vont se faire un plaisir de me raconter des anecdotes des temps passés… Il finira sûrement par en émerger quelque chose. Les Delaney étaient la famille la plus importante du comté. Trey Delaney en est toujours l'une des plus grosses fortunes. En tout cas, la plupart des terres lui appartiennent. Je suis vraiment impatient de faire sa connaissance.

— Tu n'aurais jamais dû promettre à maman de venger tante Michelle. Tu veux détruire les Delaney par loyauté envers maman, mais je crains qu'en définitive, ce ne soit toi qui souffres le plus. La haine qu'entretenait ma mère ronge comme un acide. Elle a déjà ruiné sa vie et a peut-être même contribué à la tuer prématurément. Je sais que tu es encore très affecté par l'idée de ne plus pouvoir exercer ton métier de pilote de ligne, mais ne transfère pas ta frustration sur les Delaney. Ils n'y sont pour rien.

Paul se mit à rire.

— Tu ne vas tout de même pas me psychanalyser, Giselle ? Je ne me trompe pas de motivation. Ce n'est pas cela que je reproche aux Delaney. Ni le fait que Tracy m'a quitté parce qu'elle ne supportait pas l'idée de vivre avec un invalide. Je leur en veux parce que, contrairement à eux, j'ai grandi sans mère ni père.

— Arrête un peu ! Tu as grandi avec maman et papa qui t'aimaient comme leur propre fils.

— Bien sûr. Et je les adorais, moi aussi. Mais imagine ce que c'est que de grandir sans même savoir qui était ton propre père. C'est ce qui est arrivé dans mon cas : voilà seulement quelques mois que je sais d'où me vient la deuxième moitié de mon patrimoine génétique.

— Ecoute, tout ceci me met très mal à l'aise. Ce n'est pas sain. J'ai peur pour toi.

— Qui a dit que la vengeance était un plat qui se mangeait froid ? Il est temps de passer à table… Au bout de trente ans, il doit être congelé !

— Et si jamais tu les trouvais sympathiques ?

— Je tâcherai de m'arranger pour que cela n'arrive pas.

— Bon… Ecoute, tu me donnes des nouvelles tous les soirs. Par téléphone ou par e-mail. D'accord ?

— Entendu. Je t'aime, Giselle. Mes amitiés à Jerry.

— Bonne nuit, *mon frère*, acheva-t-elle en français.

Il reposa le combiné sur son socle et se renversa contre la tête de lit.

Au bout d'un moment, un léger sourire étira ses lèvres.

— Du stuc, murmura-t-il, l'air songeur. Qui l'aurait cru ?

Au moins Ann s'enthousiasmait-elle pour autre chose que les injections de Botox dans le front ! Il augmenta le volume de la télévision, s'assit sur le sol et commença les exercices d'assouplissement et de musculation de son épaule et de son bras droits. Il devait absolument s'améliorer... Les larmes de douleur ne lui montèrent aux yeux qu'au bout de cinq bonnes minutes de mouvements appliqués.

— Grand-mère, nous entamons le chantier de restauration dans la maison Delaney demain, annonça Ann en se servant une deuxième portion de maïs. Ça va être fabuleux !

— Passe le beurre à ta fille, Nancy, dit Sarah Pulliam.

— Elle n'a pas besoin d'en rajouter, répliqua la mère d'Ann d'un ton bref, en s'exécutant quand même. Maman, tu es une cuisinière fantastique, mais est-ce que le mot *cholestérol* évoque quelque chose pour toi ?

— Tais-toi donc. Cette petite n'a que la peau sur les os !

Sarah posa un regard soucieux sur sa petite-fille.

— Je voudrais qu'on démolisse cette maudite demeure et qu'on jette du sel sur la terre qui l'a portée !

— Pourquoi ? J'adore cette maison.

— Ann, ma chérie, je crois fermement que les vieilles maisons s'imprègnent du caractère des gens qui les ont habitées, déclara sa grand-mère en faisant glisser le plat de côtes de porc dans sa direction. De tous ceux qui ont vécu là-bas, personne n'a jamais été heureux, à commencer par le Delaney qui l'a bâtie.

— Je sais bien que M. Delaney a perdu sa seule fille, grand-mère, mais à cette époque-là, des familles entières ont été décimées par la fièvre jaune dans l'ouest du Tennessee.

— Il voulait une maison remplie d'enfants. Adam a été le seul à avoir survécu. La pauvre femme de Delaney a fait six fausses couches en s'évertuant à vouloir lui en donner d'autres. Cela a fini par la tuer.

— Maman, intervint Nancy en éloignant le plat de viande de sa fille. Tu me pardonneras, mais à moins de nous avoir menti sur ton âge pendant toutes ces années, tu n'as aucun moyen de savoir tout ça.

— Pour votre gouverne, mademoiselle Nancy, c'est ma mère, votre grand-mère, qui me l'a raconté ! Elle s'était mis en tête d'épouser le fils d'Adam, Barrett. Par chance pour elle, son souhait ne s'est pas réalisé. C'était l'homme le plus odieux du comté. Pendant la Dépression, il s'est arrangé pour chasser la moitié des paysans du comté de Fayette afin de racheter leurs terres pour une bouchée de pain. L'un d'eux a tenté de le tuer. Il l'a manqué, malheureusement.

— Mais la génération suivante a été heureuse. Tante Maribelle et oncle Conrad…, commença Ann en tendant sa fourchette vers les côtes de porc.

Sentant le regard réprobateur de sa mère peser sur elle, elle interrompit son geste.

— Enfin… Leur mariage était réussi. Et tante Addy cohabitait en bonne entente avec eux.

— Penses-tu ! Jeune comme tu étais, tu ne pouvais pas te rendre compte de ce qui se passait réellement. Mes deux sœurs étaient comme chien et chat. En réalité, c'était à peine si elles parvenaient à se supporter. Et le fait de vivre sous le même toit n'aidait en rien. Papa avait refusé d'envoyer Addy au Conservatoire de musique, ainsi qu'elle le souhaitait. Elle voulait devenir pianiste de concert ; elle était véritablement douée. Au lieu de cela, elle s'est transformée en vieille fille aigrie, forcée de vivre dans la luxueuse demeure de sa sœur et de donner des cours de piano à des enfants comme toi. Papa a eu tort ; il aurait dû la laisser suivre sa voie.

— Pourquoi ne l'a-t-il pas fait ?

— Pour lui, une jeune fille vivant seule dans un appartement ou une pension, ce n'était pas convenable. Mais la vraie raison, c'était que Maribelle était fiancée à Conrad Delaney et qu'elle réclamait un grand mariage. Il n'avait pas les moyens de satisfaire les deux.

— Donc, c'est tante Maribelle qui a gagné ?

— Maribelle gagnait toujours, en tout. Il ne lui serait mêmc pas vcnu à l'csprit qu'il puisse en aller autrement. Elle avait le dernier mot, point final. Tu n'imagines pas à quel point cela a mortifié Addy de devoir accepter l'hospitalité de sa sœur pendant toutes ces années. Quant au couple de Maribelle et de Conrad, ce n'était pas tout à fait l'union sans nuages à laquelle elle s'efforçait de faire croire. Bref, cette maison n'a jamais été un havre de bonheur et de paix. Et tu verras que ce n'est pas terminé… Le nouveau propriétaire connaîtra, lui aussi, des déboires d'un genre ou d'un autre, retiens bien ce que je te dis !

Pendant le trajet de retour vers Rossiter, Ann repassa dans sa tête les propos de sa grand-mère tout en caressant distraitement Dante derrière les oreilles. Bernice avait tenu approximativement le même discours. Ann n'y avait pas prêté grande attention sur le moment, mais elle ne pouvait écarter aussi aisément les paroles de sa grand-mère. Sarah Pulliam était plus ou moins voyante. Les gens disaient d'elle qu'elle avait « le don ».

Pour autant qu'Ann puisse en juger, cela signifiait que sa grand-mère avait le pouvoir de lire sous la façade derrière laquelle les gens se dissimulaient. Ann en avait fait maintes fois la cruelle expérience, étant enfant : grand-maman savait toujours pertinemment qui avait renversé le treillis de roses ou oublié de donner la pâtée aux chiens. Il ne s'agissait pas d'une vague intuition, mais bel et bien d'une solide certitude.

Et grand-maman était la seule à l'avoir dûment mise en garde contre « ce Travis Corrigan », précisant qu'elle ne serait pas heureuse si elle épousait cet homme. Elle ne s'était pas trompée.

4.

Le lendemain matin, Paul dormit plus tard qu'il n'en avait eu l'intention. Il passa sous une douche chaude pour essayer d'éliminer les contractures de son épaule, fourra ses sacs dans le coffre de la voiture et, après avoir avalé un croissant et un mauvais café dans la cafétéria du motel, se mit en route pour Rossiter.

Il pensait arriver avant les ouvriers. A supposer qu'ils se montrent aujourd'hui, d'ailleurs. Il avait eu maille à partir avec ce genre d'entreprise quand Giselle avait fait refaire sa cuisine : une fois sur deux, l'équipe chargée du chantier ne venait même pas — sans un mot d'excuse, sans un appel téléphonique. Rien.

Manifestement, ce n'était pas le cas de ces ouvriers-là.

Pendant la nuit, une grande benne bleue avait poussé dans le jardin, près de la porte de derrière, et une demi-douzaine de camionnettes chargées de matériel étaient garées sur la pelouse, à l'avant. Il entendit les coups de marteaux et les ouvriers qui s'apostrophaient d'un bout à l'autre de la maison avant même d'avoir poussé la portière.

Il entra, regardant autour de lui. Il s'écarta précipitamment comme un homme en salopette de travail, des lattes de bois sous le bras, surgissait de l'escalier du sous-sol. L'homme passa près de lui presque sans lui jeter un regard.

— Hé, passez-moi ce marteau, là, s'il vous plaît, lança une voix depuis le palier de l'étage. Là, sur la boîte à outils, celui avec le manche bleu.

Paul chercha l'objet du regard, le localisa et eut le tort — erreur qu'il commettait encore fréquemment — de prendre le marteau de la main droite et de lever le bras pour le tendre à l'homme.

Il manqua pousser un cri de douleur. Le marteau tomba avec un bruit sec, rebondissant sur les marches de l'escalier.

— Désolé, dit Paul, amorçant un mouvement pour le ramasser.

— C'est bon, je l'ai, répondit l'homme, qui disparut à l'étage.

Un instant plus tard, Paul entendait l'outil entrer en action. Il gravit quelques marches et vit l'homme occupé à taper sur l'une des balustres.

— Mmm… Dites-moi, vous êtes sûr qu'il faut enlever ce pilier ? La balustrade ne va pas s'effondrer ?

L'homme, mince, aux cheveux gris, la peau aussi plissée qu'un vieux cyprès qui aurait fait un séjour prolongé dans l'eau, s'interrompit dans sa besogne et se tourna vers lui.

— Ce n'est pas un pilier, mais un *balustre*. Oui, je suis sûr qu'il faut l'enlever. Et, non, la rambarde ne va pas s'écrouler. Ça vous va ?

Proprement mouché et se sentant tout à fait en dehors de son élément, Paul se mit en quête de Buddy.

Il le trouva au sous-sol, occupé, avec quelques hommes, à ôter les poutrelles dont le bois était pourri et à les remplacer par des nouvelles. N'osant pas le déranger, il se retira discrètement.

Au rythme auquel le travail semblait avancer, le gros œuvre serait terminé dans une semaine ! N'ayant pas pensé à établir un calendrier des travaux avec Buddy, il ne savait même pas si les plombiers viendraient avant les électriciens et les agents des services d'eau ou du gaz avant ceux du téléphone. Il éprouva l'envie soudaine de se retrouver tranquillement assis dans le salon de son appartement, dans le New Jersey. Trop tard. Il l'avait sous-loué.

Il lui restait toujours la solution d'accepter l'hébergement que Giselle lui avait proposé.

Mais non. Avec les deux adolescents, la maison de sa cousine serait encore plus bruyante et agitée que celle-ci.

Il avait besoin d'une oasis de paix et de calme. Se réfugier au café, à côté, semblait un peu lâche. Avant l'accident, il aurait relevé ses manches et participé, dans la mesure de ses moyens, aux travaux. Chose impensable aujourd'hui.

— Qu'est-ce qui se passe ? Vous avez l'air démoralisé.

Avec un mélange de soulagement et de joie qui le surprit, il reconnut la voix d'Ann et se retourna.

Le museau humide de Dante lui chatouilla la main.

— La prochaine fois que vous me mettrez en garde contre le chaos, je vous écouterai, dit-il en retirant sa paume mouillée et en l'essuyant sur la tête du chien.

Ses yeux gris-bleu étincelèrent de malice et elle lui sourit.

— Vous aimez votre travail, n'est-ce pas ? s'enquit-il.

— On ne peut rien vous cacher.

Elle se détourna et écarta largement les bras.

— J'adore l'idée de rénover tout ça. Redonner vie à une vieille maison, c'est toujours un plaisir, et, comme cette maison n'est pas n'importe quelle maison, eh bien, ce chantier est un pur bonheur...

— Une pure folie, vous voulez dire ! rétorqua-t-il en criant pour se faire entendre par-dessus le hurlement des scies sauteuses.

— Venez en haut ! C'est plus calme !

Elle le précéda dans l'escalier en glissant une main contre le mur de l'escalier pour ne pas risquer de basculer dans le vide. Dante soupira et la suivit aussi.

Elle se dirigea vers la chambre du fond, lui tint la porte ouverte et la referma après le passage de Paul et de Dante. Le mois de mars était devenu plutôt frais, même dans la journée, et les joints d'isolation des fenêtres semblaient laisser beaucoup à désirer.

— Vous devez être frigorifié, avec cette chemise, fit-elle remarquer, pratique, en se juchant sur le rebord d'une fenêtre. Vous avez toujours l'intention de dormir ici ?

Il se passa la main sur le front.

— Pour l'instant, je ne sais pas trop. J'ai quitté le motel, mais je peux toujours y reprendre une chambre.

— Les travaux s'arrêtent vers 5 heures. Donc, si vous ne craignez pas l'air frais et la possibilité d'une douche froide — sans parler des éventuels fantômes —, je ne vois pas ce qui vous empêcherait de rester ici. Organisez-vous simplement pour ne pas utiliser la cuisinière.

— Oui, Buddy m'a averti... De quels fantômes parlez-vous ?

— Toutes les vieilles demeures du Sud sont hantées, assura-t-elle en riant. Voyons...

Elle se mit à les énumérer en comptant sur ses doigts.

— Il y a Deirdre Delaney, qui est morte lors de la dernière grande épidémie de fièvre jaune. Elle est censée se tenir assise en pleurant sur la dernière marche de l'escalier.

Elle passa au deuxième doigt.

— Ensuite, il y a Paul Adam — le fils du Delaney qui a construit cette maison. De génération en génération, tous les hommes Delaney se voient attribuer le prénom de Paul ; c'est très problématique pour s'y retrouver ! Heureusement, ils ont tous un second prénom qui commence par la lettre suivante de l'alphabet, ce qui permet tout de même de les différencier.

— Alors, quel est le véritable prénom de Trey ?

— Paul Edward. Il préfère Trey. Bref, quoi qu'il en soit, Paul Barrett, lui, est censé errer dans la maison en agitant ses chaînes pour se repentir de tout le mal qu'il a fait de son vivant.

— Des gens prétendent-ils réellement avoir vu ces revenants ?

— Bien sûr !

— Et c'est tout ? Nous avons fait le tour des occupants des lieux ?

— Oh, non... La liste est encore longue. Il reste David, le fils du grand-oncle Conrad... Son nom complet était Paul David, mais personne ne l'a jamais appelé ainsi...

Elle dut surprendre son expression, car elle s'interrompit pour demander :

— Ça va ? Je ne crois pas vraiment aux fantômes, vous savez.

— Ça va très bien, protesta-t-il, l'air pincé. Allez-y, parlez-moi de votre oncle David.

— Ma grand-mère vous en dirait plus que moi. Il est mort quand j'étais très jeune, donc j'ai quelques difficultés à distinguer ce dont je me souviens réellement de ce qu'elle m'a raconté. En tout cas, c'était l'homme le plus gentil, le plus doux et le plus triste de la terre. Quand il était sobre, j'entends. Ce qui, à la fin de sa vie, ne se produisait pas souvent.

Paul n'avait aucune envie d'entendre vanter les mérites dc son père. Il aurait de loin préféré qu'Ann lui confirme qu'il était bel et bien l'ogre qu'il avait imaginé pendant des années. Il lutta pour ne pas serrer les poings ni rien laisser transparaître de son trouble.

— Pourquoi, alors, hanterait-il lui aussi cette maison ?

Il apporta en son for intérieur la réponse qui coulait de source : *Parce qu'il avait tué sa mère.*

— Il rêvait de devenir peintre et de vivre à Paris, mais, bien sûr, cela n'a pas été possible.

— Ah bon ? Pourquoi cela ?

— Mais parce que la famille avait besoin de lui, déclara Ann comme si cela tombait sous le sens. Quand son père a eu une crise cardiaque, il a rappelé David à la maison. Il n'est jamais retourné à Paris. C'est la raison pour laquelle il était tellement triste, je pense. Et c'est sans doute aussi pour cela qu'il buvait comme un trou et chevauchait comme un damné des heures durant. Les Delaney ont toujours organisé les chasses à courre dans le comté. Je me rappelle mes premières sorties, à dos de poney… Il me semblait impossible que l'oncle David, si débonnaire, et le forcené en manteau rouge qui volait au-dessus des champs, debout sur ses étriers, en poussant des hurlements sauvages, puissent être une seule et même personne.

Voilà qui cadrait mieux avec le personnage.

— Ah... Il aimait ce sport sanguinaire, donc ?

Ann éclata de rire.

— La chasse au renard telle que nous la pratiquons ici n'a rien de violent ! Nous ne tuons jamais rien — en tout cas, ni renard ni coyote. Pour les humains, c'est une autre histoire…

Paul lutta pour garder son calme.

— Que… Qu'est-ce que vous voulez dire ?

Ann rit de nouveau.

— Je plaisante.

Paul hocha la tête.

— Mais cet oncle David… Tout de même, il aimait chasser le renard ?

— Bien sûr. Mais vous savez, les renards semblent adorer ça. Ils nous attendent littéralement, assis au milieu des champs. Je donnerais ma main à couper qu'ils savent d'instinct lorsqu'on est mercredi ou samedi. Je participe à ces chasses depuis l'âge de cinq ans et je n'ai jamais vu verser une goutte de sang, croyez-moi ! Quand les renards en ont assez, ils disparaissent dans leurs terriers. Quant aux coyotes, ils sont évidemment bien plus rapides que la meute et ils n'ont donc pas grand-chose à craindre d'elle. Les chiens ne sauront jamais ce qu'est la curée ! C'est surtout un grand jeu de plein air et un prétexte pour galoper à travers champs en poussant des cris d'Indiens ! Vous montez ? Parce que vous pourriez venir avec les suiveurs, si vous voulez, un de ces jours.

— Les suiveurs ?

— Oui, la vieille garde, expliqua-t-elle en riant. Ils suivent tranquillement la chasse par les sentiers sans avoir à sauter par-dessus les haies, sans pression. Nous avons aussi des attelages, parfois. Vous pourriez monter dans l'une des voitures, si vous préférez. Nous chassons jusqu'à ce que les fermiers rentrent les récoltes.

— Eh bien, c'est gentil, mais je ne suis jamais monté sur un cheval de ma vie et je n'ai pas vraiment l'intention de commencer aujourd'hui, merci.

— Comme vous voudrez.

— Nous nous sommes égarés… Nous parlions de votre oncle.

— Oh, je pensais que nous en avions fini avec lui.

— Et de la raison pour laquelle il était devenu un fantôme.

— Il n'en est pas un, évidemment. Mais si les fantômes existaient, il serait un bon candidat. A cause de cette tristesse qu'il véhiculait… Comme s'il était à la recherche de quelque chose qu'il n'avait jamais trouvé. Après, si vous voulez un spectre coriace, vous avez tante Maribelle, sa mère. Elle avait beaucoup de personnalité ; c'était une femme volontaire, audacieuse. Si son fantôme hante les lieux et veut vous chasser d'ici, vous ne tarderez pas à vous en apercevoir !

— Espérons qu'elle tolère ma présence, alors.

— Mais oui. Elle sera sûrement contente d'avoir de la compagnie.

Elle consulta sa montre.

— Oh... Buddy va me tuer si je ne retourne pas à mon travail !

— A quoi vous êtes-vous attelée ?

— J'ai recouvert le revêtement mural de la salle à manger pour le protéger contre la poussière des travaux et j'ai appliqué un produit décapant sur le trumeau de la cheminée, dans le salon de musique. La peinture a dû commencer à cloquer et doit être prête à être enlevée, désormais. Vous voulez voir ce qu'il y a sous les différentes couches ?

— Bien sûr.

— Allons-y.

Il lui emboîta le pas et, en arrivant en bas de l'escalier, s'arrêta pour demander, montrant la rosace qui entourait l'ampoule nue qui pendait du plafond :

— Savez-vous quel lustre était accroché ici ?

— Oui. C'était une suspension en cuivre qui fonctionnait à l'origine au gaz — la première maison de Rossiter à en avoir été équipée, entre parenthèses. Si vous voulez plus de renseignements, adressez-vous à Trey. Tel que je le connais, il a dû noter scrupuleusement tout ce qui a été acheté à la vente aux enchères.

Excellent. Cela constituerait une parfaite entrée en matière pour se présenter à Trey Delaney.

Il regarda un moment les mains gantées d'Ann retirer méticuleusement les couches de vernis noir qui recouvraient le panneau situé au-dessus de la cheminée. Elle utilisait ce qui ressemblait à des instruments dentaires pour gratter le moindre interstice, atteindre les fissures et les crevasses les plus étroites.

Sa présence sur le chantier était plus une gêne qu'autre chose, manifestement.

Même Buddy, lors de ses allers et retours du sous-sol à la benne, s'était contenté de le saluer d'un bref signe de tête. Il finit par s'asseoir sur la quatrième marche de l'escalier pour observer le ballet des ouvriers autour de lui.

Il était sur le point de s'en aller lorsqu'une grande femme mince vêtue d'un jean, de bottes de cow-boy et d'un pull-over à col roulé s'encadra dans la porte d'entrée. Ses cheveux blancs comme neige étaient coupés court, son visage était hâlé, avec des rides au coin des yeux. Un coup d'œil à ses mains lui apprit qu'elle devait avoir dans les soixante-cinq ans, mais elle se déplaçait avec la légèreté d'une adolescente.

— Bonjour ! lança-t-elle en s'avançant vers lui et en tendant la main. Vous devez être M. Bouvet ? Je suis Sarah Pulliam. Je suis une incorrigible curieuse... Je n'ai pas pu résister plus longtemps à la tentation de venir voir les transformations que vous apportiez à cette vieille maison.

Sa poignée de main fut brève mais ferme.

Elle contempla le chaos organisé qui les entourait puis reporta son regard sur lui.

— Bienvenue à Rossiter, même si la raison pour laquelle vous avez choisi un trou perdu comme notre petit village pour vous installer me dépasse complètement.

Sans attendre sa réponse, elle entra dans le séjour.

— Oh, je vois que vous avez enlevé ces horribles rideaux, Dieu merci ! J'avais dit à Maribelle, quand elle les avait accrochés, qu'ils étaient assez épais pour étouffer un enfant qui aurait joué à s'enrouler à l'intérieur ! Et d'une laideur ! Pour quelqu'un qui avait des goûts très arrêtés, Maribelle ne s'est jamais beaucoup souciée des couleurs dans la décoration de sa maison.

Paul suivait sans mot dire dans son sillage ; il ne savait pas qui était cette femme, mais, manifestement, elle connaissait bien les Delaney. Il avait donc intérêt à ne pas interrompre son flot de paroles.

— Oh, Ann, te voilà ! s'écria son interlocutrice. Seigneur, je n'aurais jamais imaginé que c'était du chêne...

— Personne ne pouvait le savoir tant que je n'avais pas retiré ces couches de peinture, répondit Ann.

Elle sourit à la femme qui s'avançait, tendant la joue pour l'embrasser.

— Je suppose que tu t'es présentée ?

— Bien sûr.

— Tu as expliqué qui tu étais ? insista Ann, l'air amusé. Paul, c'est ma grand-mère, Sarah Pulliam. La sœur de Maribelle et d'Addy.

— C'était moi la plus jeune. Et la seule des trois à ne pas être un peu dérangée, précisa Sarah avec un soupçon de suffisance.

— Ah bon ? souligna Paul, espérant l'inciter à poursuivre.

Qui sait ? Peut-être le patrimoine génétique de son père était-il entaché de schizophrénie ou de troubles maniaco-dépressifs ?

— Oui. Maribelle avait un caractère épouvantable, mais elle s'arrangeait toujours pour obtenir tout ce qu'elle voulait. Ce n'est pas à proprement parler ce qu'on appelle être « dérangée », mais son égoïsme était tel qu'il éclipsait totalement les besoins ou les désirs des personnes de son entourage. Quant à Addy, la pauvre, si elle n'était pas folle au début, elle l'est devenue petit à petit. Vers la fin, Esther — la gouvernante qui s'occupait d'elle — racontait qu'elle errait dans la maison en chemise de nuit, en se tordant les mains comme Lady MacBeth et en murmurant des paroles dénuées de sens.

Sarah secoua la tête tristement.

— Elle avait toutes les raisons du monde de haïr Maribelle, mais elles ont quand même cohabité sous le même toit, Dieu seul sait par quel miracle.

— Et… vous aimiez vos sœurs ?

Dans le New Jersey, il ne serait même pas venu à l'idée de Paul de poser une question aussi abrupte. Mais les gens, ici, semblaient ravis d'avoir trouvé en lui un nouvel auditeur tout disposé à écouter leurs histoires.

Ann lui jeta un regard acéré, mais si Sarah remarqua l'incorrection de sa demande, elle ne s'en offusqua pas.

— J'éprouvais beaucoup d'affection pour Addy. Quant à Maribelle, seuls les hommes l'aimaient. Les femmes lisaient dans son jeu. Les hommes, eux, ne voient jamais ce genre d'égocentrisme et de rapacité.

— Sarah ? D'où sors-tu ?

Tamponnant la sueur sur son front, Buddy Jenkins entra dans la bibliothèque et vint embrasser la joue de Sarah.

— Il fallait que je vienne chercher du grain pour les poulets, alors, j'ai décidé de m'arrêter au passage, avec l'idée que vous auriez peut-être envie de venir tous déjeuner ? Qu'en dites-vous, monsieur Bouvet ? Avez-vous déjà mangé au Wolf River Café ?

— Eh bien, en fait, oui. Merci, madame Pulliam. Mais je ne voudrais pas m'imposer.

— Vous imposer ? Vous avez acheté la maison Delaney, cela fait de vous d'une certaine façon un membre du clan — ce qui est notre cas à tous, ici.

Il s'autorisa à accepter. Cette femme semblait être une source intarissable d'informations. Il se prit à souhaiter qu'elle continuerait à parler pendant le repas.

Pendant le déjeuner, Paul ne réussit pas à ramener la conversation sur Paul David Delaney sans risquer d'éveiller les soupçons de ces gens. Il se contenta donc d'écouter Sarah plaisanter avec Buddy et sa petite-fille.

Il n'était pas accoutumé à une famille dont les différentes générations discutaient sans tabous et riaient ensemble. Sa tante avait toujours maintenu une stricte discipline et leur avait toujours parlé, à Giselle et à lui, de façon formelle. Il ne se rappelait pas l'avoir souvent vue sourire.

Pour un homme qui n'avait pas fait grand-chose de sa matinée, il se sentait affreusement fatigué. Ce n'était pas l'épuisement dû à une activité physique, mais la lassitude provoquée par la concentration que requérait le fait d'être perpétuellement sur le qui-vive, en alerte, pour ne pas laisser échapper la moindre information concernant son père.

Et aussi de se tenir sur ses gardes pour ne pas vendre la mèche, dévoiler qu'il en savait plus sur les Delaney qu'il n'était censé en connaître. L'un de ses amis de l'Ecole de l'armée de l'Air, Jack Sabrinski, qui avait appris, dans son enfance, à parler le serbo-croate et le bulgare avec la même facilité que l'anglais, lui avait déclaré, en revenant d'une mission d'espionnage en Bosnie, que les deux mois qu'il avait passés là-bas l'avaient plus épuisé nerveusement que cinq ans d'un mariage catastrophique, et que le pénible divorce par lequel ils s'étaient soldés.

Aujourd'hui, il comprenait sans peine ce que Jack avait voulu dire. Et puis, il y avait autre chose. Jusqu'à sa rencontre avec Ann, la veille, ces gens étaient restés des étrangers sans visages, sans véritable individualité. Des entités impersonnelles qu'il s'estimait en droit d'utiliser pour parvenir à ses fins.

Désormais, il en allait autrement. Ils étaient bien réels. Ann, particulièrement. Elle semblait si vulnérable, si sincère. La proie parfaite pour un imposteur comme lui.

Tandis qu'il se tenait devant le comptoir, avec Buddy, pour payer chacun leur part de l'addition — après avoir dû empêcher Sarah Pulliam de la régler intégralement —, il entendit celle-ci déclarer derrière lui :

— Viens, je vais te présenter le nouveau propriétaire.

Paul se retourna à demi et vit Sarah s'avancer bras dessus bras dessous avec un homme sensiblement de la même taille et de la même corpulence que lui, mais avec des yeux noisette et une crinière de cheveux blonds, encore éclaircis par le soleil. Il portait un pantalon de lin blanc qui ne provenait pas d'une chaîne de prêt-à-porter, une chemise également immaculée et hors de prix et des bottes de cow-boy au cuir soigneusement ciré. Paul jeta un coup d'œil à la main que lui tendait l'homme.

Des ongles parfaitement manucurés.

— Trey, mon petit, voici M. Paul Bouvet, qui est en train de ramener à la vie la maison de ta grand-mère. Paul, je vous présente Trey Delaney.

— Je pensais vous voir lorsque vous vous êtes décidé à acheter la maison, mais j'ai dû m'absenter, déclara Trey. Enchanté de faire votre connaissance.

Paul s'attendait à éprouver une sorte d'électrochoc en serrant la main de l'homme, mais rien ne se produisit.

— Moi de même, répondit-il poliment.

Il souriait, mais ses yeux étaient à l'affût de la moindre ressemblance avec l'unique photographie qu'il avait de son père.

— En fait, mon vrai nom est Paul Edward Delaney, mais tout le monde m'appelle Trey.

Le cliché qu'il possédait représentait son père, âgé de vingt-quatre ou vingt-cinq ans, avec sa mère, à Paris. L'image, de plus, était un peu floue et commençait à pâlir. Paul avait trente-cinq ans, aujourd'hui, ce qui signifiait que Trey devait en avoir trente-trois.

Trey avait les yeux de leur père ainsi que ses cheveux et son teint clairs, même si sa peau était déjà bronzée par le soleil.

Paul, lui, avait hérité des yeux et des cheveux sombres de sa mère, mais quiconque l'aurait observé attentivement aurait pu finir par déceler la ressemblance. Paul décida donc d'éviter le plus possible à l'avenir de rencontrer Trey en public, surtout en présence d'une personne à l'œil affûté comme Ann, qui, par la nature de son travail, devait être habituée à analyser les traits des visages.

Il était le seul à savoir que Trey et lui étaient demi-frères, l'un fils de planteur fortuné de l'ouest du Tennessee, l'autre élevé par un oncle plombier et une tante française qui fabriquait du pain dans le quartier de Queens, à New York, et il entendait que cela reste ainsi le plus longtemps possible.

Pour toutes les personnes présentes, leur rencontre n'évoqua rien que de très ordinaire ; des présentations normales entre le nouvel arrivant et un homme du cru.

— Je suis content que vous remettiez la maison à neuf, disait Trey. Encore que je me demande bien ce que vous lui trouvez. Sue — ma femme — et moi-même nous demandions si nous réussirions à nous débarrasser de cette horreur un jour. Mais… Aïe ! Je crois que je ferais mieux de me taire.

Il ponctua sa phrase d'un clin d'œil.

— Je suis surpris que vous n'ayez pas souhaité l'habiter, repartit Paul.

Sarah éclata de rire. Trey l'imita. Ann laissa échapper un ricanement étouffé.

— Tante Sarah, tu imagines Sue vivant dans une maison ancienne, avec des rangements minuscules et dépourvue de bain à remous ? Non, monsieur Bouvet. Vous êtes le bienvenu dans cette maison, croyez-moi. De toute façon, on voue un culte exagéré aux ancêtres, par ici. Surtout dans ma famille. Qu'importe d'où on vient, non ? C'est ce que l'on fait qui compte. Pas vrai, Annie ?

— Mmm... Disons que commencer par hériter de terres immenses, de quelques millions de dollars et de deux mille têtes de bétail... cela peut aider, dans la vie.

— Mais ce n'est pas avec une exploitation agricole qu'on gagne de l'argent. Hein, tante Sarah ? Je n'ai pas raison ?

Trey se tourna vers Paul.

— Vous connaissez l'histoire du fermier qui gagne dix millions de dollars au loto ? Quand on lui demande ce qu'il va faire de son argent, il répond : « Eh bien, je crois que je vais continuer à exploiter la ferme jusqu'à ce qu'il ne reste plus un centime ! »

Il se mit à rire. Un peu trop fort. Un peu trop longtemps.

Paul sourit poliment.

— Allez, il faut que je m'en retourne à mon dur labeur... Au revoir, tout le monde !

Trey agita la main par-dessus son épaule et quitta le restaurant. Le petit groupe, une fois la note réglée, lui emboîta le pas. Sarah prit congé, Buddy retourna directement à la maison et Ann annonça qu'elle l'y rejoindrait dans quelques minutes.

— Il faut que je promène Dante, expliqua-t-elle à Paul en détachant la laisse de l'animal, qui l'avait patiemment attendue à l'extérieur. Ne croyez pas que j'essaie de grappiller du temps libre, monsieur Bouvet. Vous en aurez pour votre argent, je vous assure. Je travaillerai tard, ce soir, si toutefois ma présence dans la maison ne vous dérange pas… A supposer que vous y restiez ?

— Je vais tenter l'expérience. J'ai l'intention d'acheter un matelas gonflable et un petit meuble pour ranger mes affaires. Vous savez, je ne dormais pas souvent dans un lit, quand j'étais en formation à l'école de l'armée de l'Air.

— Oh... Vous étiez dans l'armée ?

— L'aéronavale. J'ai servi pendant la période prévue, et ensuite, j'ai quitté l'armée pour entrer dans une compagnie de transport privée.

— Alors, vous avez piloté des F-15 ou quelque chose comme ça ?

— J'étais aux commandes de C-150, la plupart du temps, à basse altitude et à faible vitesse. Le parfait entraînement pour piloter des avions de ligne.

— Pourquoi avez-vous arrêté ? Enfin… pourquoi avez-vous pris votre retraite ?

Il grimaça.

— Je ne répondais plus aux critères physiques requis. J'ai été blessé dans un accident du travail. J'ai une épaule abîmée.

Techniquement, l'attaque et l'atterrissage d'urgence qui s'était ensuivi constituaient un accident du travail, ce qui justifiait l'importance de l'indemnisation dont il avait bénéficié. Il avait beau n'être en rien responsable de ce qui était arrivé, il était gêné de n'avoir pu éviter l'incident ; embarrassé, aussi, par les blessures et les cicatrices qu'il en avait gardées. Il évoquait le sujet aussi rarement que possible.

Elle dut entendre quelque chose dans sa voix car elle n'insista pas.

— Bien... Je pense que Dante est prêt à retourner au travail. A ce soir, monsieur Bouvet.

— Dites, vous ne croyez pas que ce serait plus simple de m'appeler Paul ? D'ailleurs, si vous n'y voyez pas d'inconvénient, nous pourrions nous tutoyer, qu'en pensez-vous ?

— Bien sûr. Ici, les gens se tutoient facilement. Nous ne sommes pas très formalistes. Paul, avez-vous... As-tu as un second prénom ?

— Oui, mais ce n'est pas comme chez les Delaney... Dans mon cas, personne ne l'emploie jamais. C'est Antoine. Ma mère était française.

— Antoine ? Ça ne te ressemble pas beaucoup... Voyons, il faut trouver un surnom. « Top Gun », ça te va ?

— Non, non... Un sobriquet de type indien, ce serait mieux. Quelque chose comme Vole-d'une-seule-Aile ? Ce serait plus approprié...

Ils avaient atteint le trottoir, devant la maison. Après un bref signe de la main, elle se détourna et gravit au pas de course les marches du porche. Sa queue-de-cheval oscillait sur ses épaules, les pans du foulard rouge qui la retenait volant au vent. Le balancement de ces hanches moulées dans le denim, tandis qu'elle courait, lui parut plus attirant encore que la veille.

Non, non... Pas de ça. Non qu'il se considérât comme un saint, mais de là à séduire une femme dans le seul but de lui soutirer des informations... ! En outre, ils étaient cousins au deuxième degré.

Il s'était imaginé prêt à tout pour découvrir ce qui était arrivé à sa mère. Maintenant qu'il connaissait Ann, Sarah et Buddy, il se rendait compte qu'il avait des limites. Pour ce qui était de Trey Delaney, le jury n'avait pas encore rendu son verdict. Il semblait plutôt bon vivant, bien qu'un peu arrogant. *Très* arrogant, même. Ann elle-même l'avait rembarré lorsqu'il avait évoqué ce cliché, ce mythe de l'homme s'élevant seul à la force du poignet, du peu d'importance que revêtait la fortune. A qui espérait-il faire croire ça ?

Qu'éprouverait Trey s'il apprenait soudain qu'il risquait de tout perdre ?

Rien ne lui serait plus facile que d'aller aux archives du comté et de réclamer une photocopie du testament de Paul Delaney. Ses parents étaient mariés à la date de sa naissance, il le savait ; quels que soient la nature et le contenu du testament établi par son père, il était donc le fils aîné, héritier de plein droit du patrimoine légué par son père. Il avait le pouvoir d'enlever à Trey tout ce qu'il possédait. Non que Paul eût l'intention de garder tout cela, évidemment. Que savait-il de l'élevage bovin, de la culture du coton ou du soja ?

Mais être en position de s'emparer de tout, ne serait-ce que brièvement, pour ensuite le rendre avec magnanimité, quel plaisir ce serait !

Evidemment, les gens ne le porteraient pas dans leur cœur, ici, après cela. Il lui faudrait vendre la maison et s'en aller, qu'il le veuille ou non.

Mais n'était-ce pas ce qu'il avait toujours eu l'intention de faire ? Pourquoi se sentait-il partagé, tout à coup ?

Il regarda la maison, depuis le trottoir. Elle ne ressemblait pas tant à une vieille souillon qu'à une dame âgée, désenchantée, victime d'une mauvaise passe financière. *Sa* vieille dame désenchantée. Elle avait besoin de lui.

C'était bien la seule, d'ailleurs. Il ressentit le petit pincement au cœur qu'il éprouvait toujours lorsqu'il songeait à la solitude qui était la sienne depuis que Tracy était partie. Elle avait conservé leurs amis communs. Il ne s'était pas soucié de s'en faire de nouveaux.

Lorsqu'il eut acheté un matelas pneumatique et un gonfleur, il décida de parcourir les quarante-huit kilomètres qui le séparaient des Archives du comté. Il arriva devant le bâtiment à 15 h 25 pour découvrir que les bureaux fermaient à 15 heures.

A la sortie de Somerville, il passa devant une bâtisse de brique rose dont l'enseigne indiquait « Bibliothèque ».

Pourquoi ne pas entamer son enquête tout de suite ?

L'homme dont Paul était désormais certain qu'il était son géniteur était mort en 1977, information qu'il avait trouvée sur Internet. Une notice nécrologique devrait donc figurer dans le journal du comté de l'époque.

Il apprit par la bibliothécaire qu'il existait en fait deux publications hebdomadaires, demanda la microfiche de la période concernée et entama ses recherches.

Se trompait-il de date ? Il ne trouvait rien à propos de son père. En remontant dans la microfiche, un gros titre attira soudain son regard.

La mort de son père n'était pas mentionnée dans la rubrique nécrologique ; elle figurait en première page du journal.

Un notable de Rossiter tué dans un tragique accident.

Tué ? Il s'était imaginé que son père était mort de maladie. Un problème cardiaque, vasculaire ou encore le foie…

Paul David Delaney, l'un des citoyens les plus en vue du comté de Fayette, a trouvé la mort dans un tragique accident de cheval, dimanche matin. M. Delaney officiait comme maître d'équipage dans la société de chasse à courre de Cotton Creek. Lors d'une partie de chasse, dimanche dernier, sur ses terres, M. Delaney a été jeté à bas de sa monture alors que celle-ci franchissait une barrière. Il est décédé pendant son transfert à l'hôpital. L'autopsie a révélé que la malheureuse victime avait eu les vertèbres cervicales brisées dans sa chute.

Comptant au nombre des plus grands propriétaires terriens du comté de Fayette, M. Delaney était également reconnu pour ses caricatures charmantes et gentiment caustiques. Nombreux sont les habitants du comté à avoir été croqués par M. Delaney et à avoir encadré et accroché fièrement ces portraits pris sur le vif. La générosité et le talent de M. Delaney vont cruellement manquer à de nombreuses associations responsables de l'organisation des manifestations sportives et culturelles qui animent la vie de notre comté, puisqu'il les faisait bénéficier de subsides considérables, tant par ses talents artistiques que par son action philanthropique personnelle.

M. Delaney laisse une épouse, Karen Bingham Delaney, un jeune fils, Paul Delaney III, et sa mère, madame Maribelle Delaney, veuve de feu Paul Delaney senior. Une fondation Paul David Delaney ayant pour objet de permettre chaque année à un lycéen doué de talents artistiques d'intégrer les Beaux-Arts a été créée. La famille demande qu'en lieu et place de gerbes de fleurs, des dons soient adressés à cette fondation. L'heure et le lieu des funérailles n'ont pas encore été communiqués.

Paul se renfonça contre le dossier de sa chaise et se passa la main sur le visage. Un caricaturiste de talent ? Un philanthrope qui allait manquer à ses concitoyens ?

Paul considéra la photographie en noir et blanc, à la mauvaise définition, que le journaliste chargé de la rubrique avait exhumée des archives du journal pour illustrer son article. Dans ce qui devait être une veste de chasse rouge, son père était debout, sa main gantée tenant les rênes d'un grand cheval bai. Une femme était assise sur l'animal et lui souriait. Trop âgée pour être Karen Bingham, sa femme. La grand-mère de Paul, Maribelle ?

Il se rapprocha, plissant lentement les yeux. Ni lui ni Trey n'avaient hérité de ce nez aquilin, mais Paul voyait sans peine d'où venait l'arrogance de Trey. Ce n'était pas là le genre de grand-mère débonnaire qui tricotait, assise au coin du feu. A son port altier et à l'aisance avec laquelle elle se tenait en selle, il était évident qu'elle avait l'habitude de commander.

— Désolée, monsieur. Nous fermons, dit la bibliothécaire.

— Oh... Bien sûr.

Il leva les yeux et lui sourit.

— Si vous n'avez pas terminé, nous ouvrons à 10 heures, tous les matins, ajouta la jeune femme en lui retournant timidement son sourire.

Paul hocha la tête et s'en alla, se jurant de revenir aussi vite que possible pour consulter les notices nécrologiques de toutes les personnes liées de près ou de loin aux Delaney.

Et puis il y avait les mondanités, les célébrations diverses : les sociétés de chasse devaient donner des bals, des dîners dont le compte rendu serait certainement relaté dans les journaux. Et les diplômes de fin d'année, les mariages. Il devait en apprendre le plus possible.

Il monta dans sa voiture et mit l'air conditionné en marche. Les nuits de mars étaient peut-être encore fraîches, mais le soleil de l'après-midi n'en avait pas moins transformé l'habitacle en étuve. Il repartit pour Rossiter.

Les mariages... Les naissances. Quand son père avait-il épousé Karen Bingham ? Ou, plutôt, quand avait-il commis le péché de bigamie avec Karen Bingham ? Les liens du mariage l'avaient uni à Michelle, sa mère, jusqu'à la mort de celle-ci.

Jusqu'à ce que son oncle Charlie finisse par convaincre tante Helaine, voilà sept ans, de déclarer sa sœur morte.

Toujours absorbé dans ses réflexions, il songea que la mère d'Ann, sans doute plus jeune que son père, avait dû connaître David. Il lui faudrait tenter de l'interroger, l'air de rien.

Et Karen Bingham ? Elle aussi, il devrait la rencontrer, si elle était encore en vie.

Lorsqu'il gara sa voiture devant chez lui, il s'avisa que les ouvriers semblaient avoir fini leur journée de travail.

Il transporta ses achats à l'intérieur.

— Hé ho ? Y a-t-il quelqu'un ?

Il entendit les griffes de Dante cliqueter rapidement sur le bois du parquet, puis le chien franchit le seuil de l'office en dérapage incontrôlé avant d'achever sa glissade à ses pieds, où il s'assit, langue pendante, quémandant une caresse.

— Bonjour, mon vieux. Quel bon chien ! Aujourd'hui, tu ne m'as pas sauté à la gorge, lui dit-il en frottant le dessus de la tête de l'animal. Où est ta maîtresse ?

— Ici, marmonna une voix féminine assourdie.

Il traversa l'office et entra dans la cuisine. L'espace d'un moment, il ne la vit pas, puis il localisa une paire de chevilles surmontées de jean qui dépassaient de la cage du monte-plats. Ann émergea tout entière un moment plus tard, le visage et la chemise noircis de poussière. Elle tenait une grosse lanterne à la main.

— Bonsoir, lança-t-elle en essuyant sa main libre sur son jean. Je me suis dit que si nous arrivions à faire marcher cet engin, je pourrais m'en servir pour transporter mon matériel à l'étage ; je voudrais commencer à nettoyer les cheminées, dans les chambres.

— Tu es montée là-dedans sans savoir s'il était encore en état ? C'est de la folie ! Le mécanisme a pu rouiller, depuis le temps qu'il n'est plus utilisé.

— J'ai fait attention, répliqua-t-elle légèrement. Et puis, c'était un monte-plats haut de gamme, pour l'époque. Il est pourvu d'un système de freinage automatique. Si le câble se rompt, ces petites plaquettes que tu vois là l'empêchent de tomber de plus d'un étage. Je ne suis pas complètement inconsciente. Je n'aime pas prendre des risques. J'en ai eu ma dose pour une vie entière.

— Eh bien, tant mieux. J'aurais sûrement du mal à te trouver un remplaçant aussi compétent, laissa-t-il tomber en riant.

— Oh, il y a pas mal d'autres artisans comme moi. J'ai travaillé pour un cabinet de restauration d'art très réputé, à Washington, avant de rentrer à Rossiter. Je collabore encore avec eux lorsque Buddy n'a rien pour moi. Ils pourraient t'envoyer quelqu'un, mais cela te coûterait beaucoup plus cher.

— Je ne sais pas combien je te paie, mais j'imagine que c'est assez onéreux.

— Mais mon travail vaut largement ma rémunération ! Bon, il faut que j'aille décoller cette peinture avant que le produit ne sèche. Ensuite, Dante et moi te laisserons tranquille jusqu'à demain.

Il la suivit dans le hall, puis se dirigea vers l'escalier. A mi-hauteur, il s'arrêta et se retourna.

— Tu as déjà mangé ?

— Non.

— Alors, joins-toi à moi pour le dîner.

— Oh, mais tu n'es pas obligé de…

— Je suis tout seul. Si tu es seule aussi, pourquoi ne pas être tout seuls ensemble ?

Elle rit.

— Au café ?

— Je pensais plutôt aller en ville. On peut déguster de bonnes viandes grillées, dans la région ?

— Oh, bien sûr. Alors, il faudra que je passe chez moi pour me changer.

— Pas de problème. Je préfère dîner un peu tard, de toute façon.

— Eh bien, si je ne m'y mets pas tout de suite, ce sera minuit, quand je vais terminer !

En haut, il déballa son matelas ; dix minutes plus tard, le paquet de plastique informe s'était transformé en ce qui semblait être un grand lit à deux places confortable. Il avait déjà suspendu quelques vêtements dans le petit placard, mais il lui faudrait acheter d'autres éléments de rangement. Le mobilier de son ancien appartement, de style moderne, n'était pas approprié à cette maison.

Peut-être pourrait-il solliciter le concours d'Ann ? Il avait l'intention de revendre cet endroit, meublé. Pas question de conserver des souvenirs de cet épisode de sa vie.

Il sortit sous la véranda qui courait tout le long de la façade arrière de la maison. Avec la tombée de la nuit, l'air s'était brusquement rafraîchi, mais il n'y avait pas de vent. Il contempla l'obscurité. Il avait l'impression d'être dans une cabane, dans un arbre. Sans la lueur du parking voisin qu'on devinait à peine derrière les frondaisons des grands arbres, il aurait tout aussi bien pu se trouver en pleine nature.

Une vieille chaise pliante était restée là, appuyée contre le mur. Il l'ouvrit et s'y assit, calant ses pieds sur le garde-corps.

Il se laissa envelopper par la pénombre environnante, imprégnée des parfums de la nuit. Quelque part, non loin, un oiseau pépia et, déjà, le coassement des grenouilles retentissait. Son père avait dû adorer grandir dans un endroit comme celui-ci. Pourquoi avait-il souhaité partir pour Paris ?

5.

— Désolée. Je ne voulais pas te réveiller.

Ann se tenait dans l'embrasure de la porte-fenêtre.

Paul se redressa vivement.

— Je ne dormais pas.

Il s'étira et sourit à Ann. Il se sentait plus détendu que cela ne lui était arrivé depuis longtemps.

— Non ? souligna-t-elle, amusée. Quoi qu'il en soit, si tu préfères abandonner l'idée d'aller en ville, j'ai de quoi concocter une bonne omelette à la maison.

— Oh, non. Je ne voudrais pas abuser...

— Tu n'abuses de rien du tout, puisque c'est moi qui te le propose. En fait, je préfère cuisiner plutôt que de devoir me préparer pour sortir à cette heure... Alors, c'est d'accord ?

— Eh bien... Oui, merci.

Il se débattit pour s'extraire de sa chaise longue et suivit Ann et Dante, qui contournèrent soigneusement le matelas posé au milieu de la chambre.

Ils traversèrent le petit square et dépassèrent les trois maisons pour s'engager dans l'allée de derrière, où il régnait une obscurité presque totale, la faible lueur des réverbères en fer forgé de la petite place n'éclairant pas jusque dans ce renfoncement. Ann tira de sa poche arrière une petite lampe de poche et l'alluma. Les buissons s'agitèrent à l'autre bout de l'allée.

Dante gronda.

— Chut. Ce n'est qu'un chat, souffla Ann.

L'animal heurta dans sa fuite une poubelle métallique et ils aperçurent, dans le rayon de la lampe, un éclat de fourrure tigrée.

Dante gémit et leva un regard implorant vers sa maîtresse.

— Non, Dante ! Tu ne chasses pas les chats.

Ils atteignirent un vieil escalier de bois situé sur l'arrière de la deuxième maison. Paul suivit Ann jusqu'au palier du deuxième étage et attendit qu'elle ait déverrouillé la porte. Elle alluma.

Paul était familier des lofts. Plusieurs de ses amis avaient acheté et rénové de grands espaces de ce type dans la partie basse de Manhattan. En général, le résultat était moderne, dépouillé, froid et extrêmement coûteux.

Ce loft-ci, à cheval sur deux maisons, bien que très spacieux, était plus chaleureux. L'entrée ouvrait sur la partie qu'Ann utilisait comme appartement.

Au-delà, un large passage voûté permettait d'accéder à l'atelier. De l'endroit où il se trouvait, Paul aperçut une grande table de travail, au centre, et des classeurs alignés le long du mur du fond.

On voyait aussi un grand établi, une scie circulaire à table, un tour à bois, des rayonnages industriels où étaient rangés des moulures, des pinceaux de toutes tailles et une foule d'outils et de matériel que Paul aurait été incapable d'identifier.

A gauche de la porte d'entrée était situé le coin-cuisine, séparé du reste de la pièce par un haut comptoir, devant lequel étaient placés des tabourets de bar. Une table rustique et deux bancs constituaient la salle à manger et une imposante crédence victorienne de bois sculpté délimitait la partie séjour, soulignée par un tapis oriental aux tonalités douces jeté sur le sol. A droite, des rideaux crème marquaient la séparation avec la partie réservée à la chambre et à la salle de bains. La brique rose originale des murs avait été conservée, ainsi que l'ossature de poutres apparentes, au plafond.

— Assieds-toi, dit Ann en désignant les tabourets tandis qu'elle contournait le bar et se mettait à fourrager dans le grand réfrigérateur en acier brossé.

Elle en sortit du bacon, des oignons, des poivrons et une boîte d'œufs.

— Je peux t'aider ?

— Non, non, j'ai l'habitude de jongler avec deux ou trois ingrédients pour en faire un repas. Que puis-je t'offrir à boire ? De la bière ? Du vin ?

— Du vin blanc, si tu en as.

— Bien sûr.

Elle rouvrit le réfrigérateur, en tira une bouteille et leur servit à tous deux un verre.

— *Salud* !

Il croisa les yeux gris-bleu. Leurs regards demeurèrent rivés l'un à l'autre, juste un peu trop longtemps. Paul sentit son corps se tendre et il fut certain qu'elle éprouvait la même attirance.

Il avait commis une erreur en acceptant de la voir dans son cadre de vie. Il n'aurait jamais dû venir, s'il entendait tenir parole et garder ses distances.

Ce fut elle qui détourna les yeux la première, avec un étrange petit soubresaut. Le contour de ses oreilles avait rosi et, lorsqu'elle parla, ce fut d'un ton brusque :

— Bien... Et maintenant, si tu veux m'aider, tu peux émincer le poivron.

Elle s'éloignait de lui de manière presque palpable. Le recul instinctif d'une femme attirée par un homme, mais qui n'est pas sûre de vouloir aller plus loin.

Lui ne l'était pas davantage.

Son regard erra sur les murs et s'arrêta sur un dessin au crayon suspendu dans un cadre noir au-dessus du réfrigérateur. Il devina instantanément qu'il s'agissait d'une des caricatures de son père. L'envie subite de sauter par-dessus le comptoir et de l'arracher le traversa.

— C'est Buddy, là, sur ce dessin ? demanda-t-il d'un air aussi dégagé que possible.

Ann se mit à rire et décrocha le cadre, qu'elle lui tendit.

— C'est ressemblant, n'est-ce pas ? Regarde-le de plus près.

La grosse tête presque chauve, les lunettes noires. Il portait son uniforme de police, mais c'était une ceinture d'outils qui ceignait ses hanches, au lieu de la cartouchière, et il pointait non pas un revolver mais un pistolet à colle. Paul sourit malgré lui. L'effet comique était rehaussé par l'expression féroce qu'arborait Buddy.

— Effectivement. Ce dessin est vraiment très bon.

— Et moins mordant que certains des portraits qu'oncle David pouvait brosser, quand il estimait que son modèle méritait une leçon ! J'aime beaucoup celui-ci. C'est tout à fait Buddy. Il a fini par me le donner voilà quelques années, à Noël. Il ne pouvait pas décemment refuser ça à sa propre fille, n'est-ce pas ?

Paul releva lentement la tête.

— Sa propre fille ?

— Mais oui. Buddy est mon père. Tu ne le savais pas ?

— Absolument pas, non ! Comment se fait-il que tu l'appelles par son prénom ?

— Oh, une habitude contractée à l'adolescence... Je savais que ça l'ennuyait, alors, je prenais plaisir à l'agacer ! Et puis, maintenant, sur un chantier, c'est plus facile de hurler « Hé, Buddy ! » que « Hé, papa ! » ! Tu ferais confiance à un entrepreneur qui sous-traiterait le travail de restauration artistique à sa fille ?

— Oui, maintenant que je connais un peu Buddy. Mais j'imagine que les clients se sentiraient mal à l'aise s'ils avaient un grief à formuler à propos de ton travail.

— Ça n'arrive jamais. J'excelle dans ce que je fais, répliqua-t-elle, une lueur malicieuse dans le regard.

— Tu travailles souvent avec ton père ?

— Oui, chaque fois que c'est possible. Mais il est tenu de respecter la procédure légale d'offre publique, bien entendu. Je viens juste de rentrer d'une mission de trois mois à Buffalo, où j'ai restauré le manteau d'Arlequin d'un vieux théâtre. Avant cela, j'ai passé deux mois à Colorado Springs pour rénover les boiseries d'une maison de la prairie en cours de restauration. En fait, c'est la première fois que je travaille aussi près de chez moi depuis que je suis rentrée à Rossiter.

Tout en parlant, elle avait élaboré son omelette d'une main sûre. Il la contemplait, impressionné. Il avait suffisamment observé sa tante pour savoir reconnaître un cordon-bleu.

C'était agréable, de la voir s'activer. Elle travaillait avec calme et efficacité, et l'omelette ne tarda pas à être prête à passer à la poêle.

—Si tu veux mettre la table, les sets et les couverts sont dans le vaisselier gallois, là-bas. J'apporterai le reste.

Il s'exécuta avec plaisir et, dix minutes plus tard, il était assis devant une omelette fumante, de la salade verte et des toasts croustillants.

Son petit séjour sous la véranda avait commencé à dissiper sa tension. Le fait d'être assis là, en face d'Ann, dans cet endroit plaisant, acheva de le détendre tout à fait. Même la douleur de son épaule avait diminué. Il sentit la lourde tête de Dante se caler contre sa cheville et, baissant les yeux, vit la lueur gourmande qui scintillait dans le regard de l'animal.

Ann devina son intention.

— Ah, non, ne t'y risque pas ! Je ne donne jamais rien à Dante, quand je suis à table. Il deviendrait impossible, sinon.

— C'est la meilleure omelette que j'aie jamais mangée ! Merci de ton invitation. La prochaine fois, ce sera mon tour.

Au bout d'un moment, il déclara :

— Parle-moi un peu de l'artiste qui a dessiné Buddy. Est-ce qu'il réalisait d'autres choses ? Des portraits classiques ? Des paysages ?

— Quelques portraits, oui. Mais oncle David ne vendait jamais rien, il n'a jamais été exposé dans une galerie. C'était l'ancienne cuisine d'été, derrière la maison, qui lui servait de studio.

Paul retint sa respiration.

— Oh... Je n'y ai pas encore mis les pieds. Je pensais que le bâtiment était trop délabré pour être conservé.

— Tu n'y es pas entré quand tu as visité la maison ?

— Non. Il y avait un cadenas et Mme Hoddle n'avait pas la clé.

— Il suffit d'une bonne pince-monseigneur et le tour sera joué. Nous irons demain matin, si tu veux.

— Tu crois qu'il reste des dessins, là-bas, après toutes ces années ?

— Je ne sais pas. Peut-être. Mais il est probable que si c'est le cas, les rats ou les souris en auront fait leur affaire.

— S'il y avait eu des dessins, Trey ne les aurait-il pas listés lors de la vente aux enchères ?

— Ce n'est pas lui qui s'est occupé des détails. Et puis Trey a toujours considéré que les œuvres artistiques de son père étaient une façon de poser. Il les détestait. Lui et Sue sont venus deux jours après la mort de tante Addy et ont emporté ce qui les intéressait. Ensuite, la vente aux enchères a été organisée, mais je me demande si quelqu'un a pris la peine d'entrer dans le pavillon d'été. De toute façon, l'œuvre d'un artiste inconnu ne peut pas avoir une grande valeur ; or, la plupart des objets et du mobilier de la maison ont été vendus à prix d'or. C'est à peine si j'ai pu m'offrir la boîte à boutons.

— Pardon ?

— La boîte à boutons de tante Addy. Viens, je vais te la montrer. Elle est dans l'atelier.

Il la suivit jusque dans un recoin de l'autre partie du loft. Littéralement sertie sur le plateau d'une petite table, trônait une grande boîte d'environ soixante centimètres de long par trente-cinq de large pour une profondeur d'une quinzaine de centimètres, peinte et décorée de façon à imiter un grand livre relié de cuir.

— Elle avait fait fabriquer la table exprès pour supporter cette boîte. Elle brodait et cousait souvent, pendant que ses élèves jouaient leurs morceaux, et je me souviens que je mourais d'envie de fouiller à l'intérieur. Ce qui n'est arrivé que lorsque je l'ai rapportée à la maison, après en avoir fait l'acquisition.

— *Roméo et Juliette*, de William Shakespeare, lut-il sur la fausse couverture du livre. Choix intéressant, de la part d'une femme qui ne s'est jamais mariée.

— Ce n'est pas elle qui l'a fait peindre ! Elle l'a achetée telle quelle.

— Oh… Et quels trésors contenait-elle donc ?

Ann souleva le couvercle.

Un arc-en-ciel de fils à broder multicolores apparut, ainsi que des ciseaux de couturière finement ciselés, plusieurs dés peints à la main et une cinquantaine de petits sachets soigneusement classés.

— Des boutons, expliqua Ann. Des boutons de rechange sont la plupart du temps fournis avec des vêtements neufs. En général, les femmes les oublient au fond d'un tiroir. Pas tante Addy.

— Elle était organisée.

— Ça, oui ! C'est normal ; elle a hérité d'une partie de ces boutons. Certains ont de la valeur.

Elle prit un sachet et l'entrouvrit pour que Paul puisse voir à l'intérieur.

— Ceux-ci, par exemple, sont en ivoire véritable.

Elle le reposa et en saisit un autre.

— Et ceux-là, en émail cloisonné. Très anciens et très raffinés.

Elle piocha au hasard un nouveau sachet.

— Ceux-là sont en hématite, pierre dont les dames de l'époque victorienne aimaient orner leurs robes. Certaines pièces auraient leur place dans un musée. J'ai vraiment eu de la chance. Je ne me séparerais de cette boîte pour rien au monde.

— Donc, il pourrait y avoir des choses dignes d'intérêt dans le studio ?

— Oui, c'est possible. Mais si j'étais toi, je ne tablerais pas trop là-dessus. Encore un toast ?

— Non, merci. C'était délicieux, bien meilleur que ce que nous aurions pu manger au restaurant.

— J'adore cuisiner.

Elle retourna la main vers elle.

— Et manger, aussi ! Franchement, je me demande comment font les top models pour garder la ligne.

— Aucun mystère. C'est génétique. Elles ont hérité d'un haut métabolisme et elles ne mangent jamais à leur faim. Je le tiens de source sûre.

— Les hôtesses de l'air ?

— Oui. J'étais fiancé à l'une d'elles.

Il s'étonna lui-même de s'être laissé aller à évoquer Tracy, lui qui en parlait le moins possible, même à Giselle. Mais, curieusement, il en éprouva plutôt une sorte de soulagement.

— Je ne savais pas que tu étais fiancé ?

— Je ne le suis plus. Elle m'a quitté et en a épousé un autre.

— Oh… Pardon.

— Pas du tout. C'était mieux ainsi. Après cet accident, et pendant toute la période de rééducation, je devais être invivable… Tracy l'a supporté pendant un temps, puis elle est partie.

— C'est cet accident qui t'a obligé à cesser de travailler ? Pas étonnant que tu aies été difficile à vivre…

— Oui. Est-ce qu'on peut… changer de sujet ?

— Oh, bien sûr. Désolée.

— Dis-m'en un peu plus sur les Delaney. Depuis que je vis dans cette maison, je m'intéresse de plus en plus à ses anciens occupants.

Il ignora la petite voix, dans sa tête, qui lui rappelait qu'il s'était juré de ne pas se servir d'Ann pour glaner des informations.

— Eh bien, voyons… Je t'ai déjà parlé de Paul Delaney, le premier de la lignée, celui qui a construit la maison, épousé une femme riche, et qui souhaitait avoir une ribambelle d'enfants qu'il n'a jamais eus.

— Oui, et aussi de son fils, Adam. Et du fils de celui-ci, Barrett.

— Tout à fait. Ensuite, il y a eu le fils de Barrett, Conrad, qui a épousé ma grand-tante Maribelle, les premiers prénoms étant bien sûr toujours Paul.

— Compte tenu de la progression alphabétique dont tu m'as parlé, j'en déduis qu'on arrive ensuite à Paul David, c'est bien ça ?

— Bravo ! Et, enfin, Trey, dont le véritable nom est Paul Edward. La tradition se perpétue avec son fils, qu'il a prénommé Paul Frédéric. Grand-mère dit que la seule bonne chose à tirer de cette histoire de prénoms, c'est que nous serons tous morts avant qu'on parvienne à la lettre Z !

Paul songea à son deuxième prénom, Antoine. Le non-respect de la coutume orthographique signifiait-il le début d'une nouvelle dynastie ?

— Oncle Conrad était adorable tant que tout se passait exactement comme il l'entendait. La seule personne sur qui il n'avait pas de prise était Maribelle. D'après ma grand-mère, ils ont eu le plus grand mariage qu'ait connu la Dépression. Douze demoiselles d'honneur et des invités venant de Saint Louis et de plus loin encore. Ils sont allés à Hawaii pour leur voyage de noces. A l'époque, il fallait prendre le bateau à San Francisco pour s'y rendre. C'est romantique, non ? Mais Grand-mère prétend que, lorsqu'ils sont rentrés, ils s'ennuyaient tellement ensemble qu'elle a pensé qu'ils allaient divorcer. Ce qui l'est moins !

— Et ils ne l'ont pas fait ?

— Non. Tante Maribelle était enceinte du nouvel héritier Delaney. Ensuite, ma foi, lorsqu'ils se sont remis au travail, cela s'est atténué. Une trop grande promiscuité peut tuer n'importe quelle relation.

Paul comprit qu'elle ne songeait plus à ses ancêtres. Le patronyme d'Ann n'était-il pas Corrigan ? Autre raison pour laquelle il n'avait pas fait le rapprochement avec Buddy.

Comme, visiblement, il n'y avait pas de mari dans le décor, elle devait être soit divorcée soit veuve. Elle ne portait pas d'alliance, ni de bijou d'aucune sorte, d'ailleurs. Ce qui pouvait s'expliquer par le fait qu'elle manipulait à longueur de temps des produits chimiques susceptibles d'endommager les métaux précieux.

— Je suppose que Conrad dirigeait les plantations ? Que faisait Maribelle ?

— Maribelle travaillait à rendre tout le monde fou autour d'elle.

— Pardon ?

— Oui… Non seulement elle avait un avis sur tout, mais il fallait en plus qu'il l'emporte systématiquement sur celui des autres. Une fois, ma mère avait acheté un sofa — ce qui représentait une grosse dépense pour un salaire de policier. Maribelle y a jeté un coup d'œil et a décrété que la couleur n'était appropriée que si nous craignions que le chien ne rende sa pâtée dessus pendant la nuit ! J'ai cru que ma grand-mère allait l'étrangler.

Elle se leva et se mit en devoir de débarrasser la table. Il esquissa un geste pour l'aider, mais elle le força à se rasseoir.

— La cuisine est petite et elle est équipée d'un lave-vaisselle.

Il se perdit dans ses pensées puis poursuivit, tandis qu'elle refermait la porte du lave-vaisselle :

— Il n'y a eu qu'un fils par génération Delaney, ce qui a permis la transmission de ce prénom, Paul. Mais s'il y en avait eu plusieurs, ils auraient peut-être été forcés de procéder comme les Anglais… Tu sais, Paul Adam l'héritier, Paul Conrad le tyrannique… Comment penses-tu que le Delaney de la génération précédente aurait été surnommé ?

Elle réfléchit un instant, calée sur le comptoir.

— Paul David l'artiste ? Ou Paul David l'alcoolique ? Non, le plus juste aurait été Paul David le triste.

C'était la deuxième fois qu'elle employait cet adjectif. Peut-être son père avait-il eu une conscience et éprouvé des remords, finalement ?

Ann remuait en grimaçant son épaule gauche. En dépit de ses résolutions, il avait abusé de sa gentillesse pour lui soutirer des renseignements, alors qu'elle était épuisée par une longue journée de travail. Mais il n'avait guère envie de quitter le confort de cette pièce, le plaisir de sa compagnie.

Ce fut elle qui, en définitive, mit fin à ses tergiversations en annonçant tout de go, mais avec un sourire :

— Bien. Je suis fatiguée, tu es fatigué. Je crois qu'il est l'heure pour moi d'aller me coucher.

— C'est vrai, reconnut-il en se levant.

Elle le reconduisit jusqu'à la porte et lui tendit une petite lampe de poche.

— Prends ça si tu ne veux pas trébucher dans le noir.

— Merci. C'était un merveilleux dîner. Vraiment. Bonne nuit.

Il tourna les talons pour partir, puis se ravisa.

— Est-ce que je saboterais la relation employeur-employé si je t'embrassais ?

Les yeux pers s'agrandirent démesurément.

— Eh bien… Mais…

— Oh, et puis tant pis !

Il passa son bras valide autour de sa taille et l'attira à lui.

Elle se laissa aller contre son torse, tandis que la lampe de poche tombait sur le sol, et l'enveloppa de ses bras.

Mon Dieu, comme elle était douce ! Sa bouche, où persistait encore la saveur du café, s'entrouvrit sous ses lèvres. Il pressa ses hanches contre les siennes, se sachant déjà trop excité pour s'en tenir à un simple baiser.

Ce fut elle qui le repoussa.

— Je ne crois pas que ce soit une très bonne idée.

— C'est une idée géniale, au contraire.

— Rentre chez toi. S'il te plaît. C'est préférable.

Elle se détourna de lui.

— D'accord, dit-il en laissant glisser ses doigts le long de sa queue-de-cheval. Mais tu ne m'empêcheras pas de penser que c'est une très bonne idée. Merci pour le dîner. Je te revaudrai ça.

Il ferma doucement la porte derrière lui.

Parvenu en bas de l'escalier, il s'arrêta net. Une idée géniale ? Leur baiser avait été fabuleux, mais l'idée, grotesque. Il passait son temps à se promettre de laisser Ann tranquille, puis, dès qu'il se trouvait à proximité, sa volonté fondait comme neige au soleil. Il oubliait ses bonnes résolutions, et c'était le désir qu'elle déclenchait en lui qui prenait le dessus — un désir... *animal*.

Ann écouta le son de ses pas décroître dans l'escalier.

— Non, je ne laisserai pas ça se produire ! Pas question ! Tu entends, Dante ? Il est tout ce que je ne veux plus trouver chez un homme ! Fini, les hommes séduisants, charmeurs, mystérieux. Très peu pour moi. Fini, les relations dangereuses ! Je refuse de perdre une nouvelle fois la tête parce que mon cœur bat pour un homme... Sans parler des autres parties de mon corps.

Elle regarda Dante, qui la contemplait sans bouger, assis.

— Moi qui me croyais assez forte pour dépasser l'aspect purement physique de la chose ! continua-t-elle. Et il m'a même *demandé* s'il pouvait m'embrasser. Ce doit être une ruse, ce n'est pas possible...

Elle se détourna et se mit à nettoyer la poêle, qu'elle sécha et rangea dans la foulée. Les poings sur les hanches, elle chercha désespérément une autre activité.

Son regard tomba sur le téléphone. Elle s'avança, décrocha le combiné et composa un numéro à New York.

— Salut, Marti. C'est moi.

— Bonsoir, Ann. Autant annoncer la couleur tout de suite : si je te donne l'impression d'être froide, c'est parce que je le suis. Franchement ! Pas même un e-mail de toi en un mois. Où es-tu ? Toujours à Buffalo ?

— Désolée, dit doucement Ann. Non, je suis rentrée. J'ai commencé le travail dont je t'avais parlé, dans la maison Delaney. J'ai vraiment été très occupée. Et puis… Je n'avais rien de très captivant à raconter.

— J'en conclus qu'il doit y avoir du changement, puisque tu m'appelles.

— J'ai besoin d'un conseil. A qui d'autre voudrais-tu que je m'adresse, sinon à ma meilleure amie ?

— Oui, bon… Passons sur les politesses. J'aimerais te faire mariner encore un peu, mais je suis trop impatiente d'entendre ce que tu as à me dire. « Marti, conseils fournis gracieusement vingt-quatre heures sur vingt-quatre ! » Alors ?

— J'ai embrassé un client.

— Bravo. Je prescris vingt flagellations en punition. Attends une seconde… Cela exige un verre de vin et une cigarette.

Le silence emplit la ligne pendant quelques instants, puis la voix de Marti déclara :

— Je sais, je sais… J'avais décidé d'arrêter de fumer, mais j'ai réduit ma consommation : je n'en fume plus que six par jour. Enfin… ce sera la septième, aujourd'hui, mais c'est une occasion spéciale, non ? Donc, tu as embrassé un client... La belle affaire ! Quel est le problème ?

— Il est beau comme un dieu grec, il a de l'argent, il est intelligent, il ne manque pas d'humour. Et il est en train de faire rénover ma maison préférée.

— Ça me semble être un parcours sans faute.

— Justement ! Je n'arrête pas de me demander ce que ça cache. Qu'est-ce qu'il a en tête ?

— Devine ! Moi, je sais ce que les hommes ont en tête la plupart du temps, répondit Marti en riant. Me déshabiller. Et, ensuite, me rhabiller, et s'en aller. Ce qui me convient très bien, puisque j'ai à peu de choses près les mêmes aspirations. Tu crois que c'est son cas ?

— Son ex-fiancée était une hôtesse de l'air, tu te rends compte ? Quelqu'un a demandé à un chanteur de rock, je ne sais plus lequel, pourquoi il ne sortait qu'avec de belles femmes. Tu sais ce qu'il a répondu ? « Parce que j'en ai la possibilité. » Crois-moi, ce type-là l'a aussi. Et je n'ai pas l'intention de jouer les bouche-trous parce que Rossiter est un petit village du Tennessee où il ne dispose pas du cheptel habituel d'hôtesses de l'air et de mannequins. Je suis libre, il est fantastique et trop paresseux pour aller chercher mieux plus loin, voilà tout.

— Qui a dit qu'il y avait mieux ?

— Tu veux que je te dresse une liste ? Avec Travis, qui caracole en tête ?

— Ton ex-mari n'a jamais cru qu'il pouvait trouver *mieux* que toi. Il voulait simplement *d'autres* femmes. Ce n'est pas lui qui a demandé le divorce, c'est toi.

— Il me considérait comme une source de revenus sûre tandis qu'il poursuivait sa carrière. D'ailleurs, c'est encore le cas aujourd'hui. La dernière fois qu'il m'a appelée, à Buffalo — je ne sais pas comment il s'était arrangé pour mettre la main sur mon numéro de téléphone là-bas —, il m'a réclamé de l'argent pour réparer les freins de sa voiture. « On ne peut *pas* vivre sans voiture à Los Angeles, chérie, voyons ! »

— A ce propos, il m'a téléphoné pour savoir où tu travaillais.

— Quoi ? cria Ann. Tu ne le lui as pas dit, j'espère ?

— Bien sûr que non. Bref, pour en finir avec Travis, tu étais là pour lui pendant que lui était dans le lit d'une autre.

— Oui, soupira Ann. Et ça a été affreusement douloureux, Marti ! Dire que j'ai voulu croire pendant des années que nous étions sur la même longueur d'ondes, que nous regardions dans la même direction ! Il m'a fallu une éternité pour parvenir à voir les choses en face.

Ann marqua une pause.

— Chaque fois que je lui découvrais une nouvelle liaison et qu'il me jurait ses grands dieux que ce serait la dernière, je perdais un peu de mon amour-propre — et de mon amour pour lui. Je commence juste à reprendre un peu confiance en moi... Alors, ce n'est pas maintenant que je vais soumettre mon ego à une nouvelle épreuve. Surtout quand la concurrence se compose d'hôtesses de l'air et de mannequins !

— Bon, alors, si ce type est à éviter comme la peste, qui, selon toi, serait le prince charmant ?

— Eh bien... Celui qui n'y ressemblerait pas, justement. Un garçon stable. Un gentil fermier du coin... Un comptable ou un homme ayant un travail aux horaires réguliers, des perspectives d'avenir raisonnables et le désir de s'installer et de fonder une famille.

— Parce que tu crois que l'homme que tu décris chercherait une femme comme toi, qui passe neuf mois sur douze à travailler d'un bout à l'autre du pays ?

— Si j'avais un mari et des enfants, je réduirais mes activités. Ce que je veux, c'est quelqu'un qui s'occuperait de moi, pour changer. Et qui se contenterait de moi, et de moi seule.

— Et d'après toi, ce ne serait pas le cas de ce type ?

— Tu plaisantes ? Je ne peux être qu'un pis-aller. Je ne veux pas prendre le risque de m'apercevoir une nouvelle fois qu'on s'est servi de moi.

— Bien, alors voilà la prescription de Dr Marti : je ne crois pas me tromper en affirmant que tu n'as pas eu de relation avec un homme depuis longtemps… Tu n'es pas obligée d'éprouver des sentiments pour avoir une relation physique parfaitement satisfaisante. Si c'est bien, tant mieux. Sinon, un baiser d'adieu et tu t'en retournes à ton fermier. La passion dans les champs de coton… Seigneur, c'est excitant !

— Marti ! Je regrette de m'être tournée vers toi.

— Que veux-tu que je te suggère ? La seule solution, sinon, c'est de quitter Rossiter et d'aller travailler ailleurs. Je n'ai pas d'autre idée. Sauf, bien sûr, si tu tombes amoureuse de lui et que tu décides de tenter ta chance.

— Sûrement pas ! Pour une fois dans ma vie, j'ai bien l'intention d'écouter ma raison et pas mon cœur !

— Une liaison passagère, ce n'est pas si mal. J'y trouve bien mon compte, moi. Et cela permet d'avoir toujours de la place dans les placards.

— Je ne sais pas si je suis très douée pour ça.

— Ah bon ? Je n'avais pas remarqué, persifla gentiment Marti. Alors, mets-toi en chasse de ton fermier ou de ton comptable et oublie ton... quelle est sa profession, au fait ?

— Il était pilote de ligne. Il va travailler dans l'épandage aérien, désormais.

— Un pilote ? Décidément, tu les choisis, grommela Marti. Je te souhaite bonne chance, ma belle, avec ton adonis. Tu me tiendras au courant… Tâche tout de même d'en savoir un peu plus sur sa personne avant de tomber folle amoureuse de lui ! Et si jamais Travis ose te téléphoner pour te soutirer de l'argent, conseille-lui de s'adresser à celle avec laquelle il couche en ce moment… Cela te bouleverse-t-il encore d'entendre sa voix ?

— Non, plus maintenant. Quand je pense que je n'imaginais pas la vie sans lui ! Mon seul souhait, aujourd'hui, c'est qu'il trouve un travail régulier.

Elles bavardèrent encore pendant une vingtaine de minutes de choses et d'autres, puis Ann raccrocha.

Elle s'effondra sur son lit et décida de ne plus s'appesantir sur ses états d'âme. Marti avait raison. Elle allait s'inquiéter de sa libido. Cela, au moins, elle pouvait le contrôler.

6.

— Il n'y a qu'un homme pour acheter une propriété sans l'avoir visitée entièrement, nota Ann tandis qu'ils approchaient du studio, au fond du jardin.

Elle considéra le gros cadenas, puis lui présenta la pince-monseigneur. Il tendit le bras et éprouva un vif élancement dans l'épaule. Avec une grimace, il déclara :

— Mieux vaut faire appel à l'un des ouvriers.

— Pas de problème, dit-elle légèrement. Je m'en charge.

Elle positionna la pince et se débattit pendant quelques instants avant que les mâchoires de l'outil ne laissent entendre un claquement satisfaisant.

— Voilà ! s'écria-t-elle, triomphante. A toi l'honneur !

— Après toi, je t'en prie... C'est toi qui as ouvert, ajouta-t-il, dissimulant de son mieux son dépit.

— C'est la première fois que quelqu'un entre ici depuis la mort d'oncle David, souligna-t-elle en retirant le cadenas. Grand-mère affirme qu'elle a vu Maribelle mettre la clé de son fils dans sa poche avant qu'ils n'emmènent son corps. Attention aux serpents... Il pourrait y en avoir dans les trous du plancher et dans les placards.

Il la regarda entrer sans hésitation. Ann n'était pas du genre à se laisser intimider par des fantômes ou des serpents, apparemment. L'idée lui vint qu'il n'aurait pas pu trouver meilleure compagnie pour affronter ce genre de situation.

La porte pivota sur ses gonds dans un grincement sinistre, en crissant contre le sol.

Ann tâtonna, cherchant le commutateur, et le tourna. Rien ne se produisit.

Elle ramassa la lampe de poche qu'elle avait posée sur le seuil, l'alluma et dirigea le faisceau de lumière devant elle.

— Beurk ! Attention aux veuves noires. Que de toiles d'araignées ! Le château de Dracula n'aurait rien à envier à cet endroit.

Paul entendit des grattements. Des rats ? Dante gronda.

— Chut, Dante ! Tu ne pourras pas les attraper.

Elle se tourna vers Paul.

— Si seulement tu avais eu le bon sens de demander à papa de traiter cet atelier en même temps que le reste de la maison !

— Je n'y ai pas pensé. Et il n'en a pas parlé.

— Ah, les hommes !

Au-dessus de sa tête, il entendit un grattement régulier. Il leva les yeux. Au milieu des poutres apparentes avait été ménagée une grande verrière invisible de l'extérieur et qui occupait presque tout le pan nord du toit. Elle était tellement sale qu'elle laissait à peine filtrer un filet de lumière du jour, mais, dans la pénombre, Paul distingua les longues ombres des branches qui raclaient la surface vitrée.

Il sursauta comme Ann frappait à plusieurs reprises du pied par terre.

— Juste par précaution... Pour éloigner les serpents. Mais ne plonge pas la main dans un placard sans avoir regardé à l'intérieur. Je retourne à la maison chercher un balai, des chiffons et une ou deux lampes de chantier. Tu restes là ?

Il hocha la tête.

Tandis que ses yeux s'accoutumaient à l'obscurité, il discerna plusieurs formes fantomatiques. Avançant avec prudence, au cas où les lattes du plancher seraient vermoulues, il distingua un chevalet. Recouvert d'un grand drap blanc. Enroulant sa main dans son mouchoir, il souleva le drap et le laissa retomber sur le sol.

Une toile. Simplement badigeonnée d'une couche d'apprêt blanc.

Paul en éprouva une pointe de déception. Dans un coin, un autre chevalet, plus petit. Il s'avança et, protégeant sa bouche d'une main, souleva le drap poussiéreux qui le masquait. Une autre toile, blanche, elle aussi. Contre le mur du fond, une autre housse dissimulait ce qui devait être un canapé. On aurait dit un cadavre recouvert de son linceul.

— Me revoilà.

Paul ne put s'empêcher de tressaillir au son de la voix d'Ann.

— Il y a une prise dans le boîtier électrique, là-haut, déclara-t-elle. Tu peux l'atteindre ? J'ai apporté une ampoule neuve.

Il s'étira et réussit à insérer la fiche de la lampe dans la prise qui jouxtait l'ampoule nue, puis attendit qu'Ann ait actionné le bouton.

— Voilà qui est déjà mieux, murmura-t-elle.

Elle accrocha la baladeuse en haut de la porte tandis qu'il dévissait l'ampoule et la remplaçait par la nouvelle. Elle tourna le commutateur et un halo pâle se répandit dans la pièce, repoussant les ombres dans les recoins éloignés sans les chasser tout à fait.

— Il était peintre… Il doit y avoir d'autres sources de lumière, dit-elle en orientant le faisceau de sa lampe vers les solives du toit.

— Ah, voilà !

Deux grands tubes au néon étaient fixés entre les poutres.

— Reste à trouver comment ils s'allument.

Elle se promena dans la pièce, longeant les murs. Il l'observait, immobile. Elle n'avait pas de raison d'être particulièrement émue, elle. Juste amusée par cette exploration.

— Eurêka ! s'écria-t-elle.

Elle appuya sur un bouton situé à côté de l'une des armoires de rangement. C'était bien celui qui les commandait. Pour la première fois, Paul put véritablement voir à quoi ressemblait le studio.

Différents indices confirmaient que l'endroit avait effectivement tenu lieu de cuisine d'été : un évier à double bac dans un coin et sa robinetterie ancienne en cuivre. Le long du mur est, les armoires s'interrompaient pour laisser place à un vieux radiateur électrique mobile, potentiellement mortel, qui avait certainement remplacé un fourneau à bois. Le tuyau raccordant le fourneau à la prise d'air extérieure était resté fixé au mur, simplement bouché par un couvercle à son extrémité.

Ann marcha jusqu'au canapé et ôta le drap dans un nuage de poussière.

— Oh ! s'exclama-t-elle en toussant. Regarde ça !

C'était une méridienne victorienne au socle de bois élégamment sculpté en forme de cygne. Les volutes du dossier figuraient la tête et le long cou, tandis que l'assise se nichait dans le corps du gracile animal. Les souris étaient manifestement passées par là.

— C'est du crin de cheval, nota Ann, penchée sur les coussins éventrés.

Un plaid et d'autres coussins reposaient à l'autre bout du sofa, le duvet des coussins formant un tapis blanc au pied du meuble.

— C'est un meuble superbe. Il faudra faire refaire le capitonnage lorsque je l'aurai restauré. Tu le mettras dans la maison, n'est-ce pas ?

Il n'était pas sûr d'en avoir envie, mais elle semblait si enthousiaste qu'il acquiesça.

Elle reprit sa déambulation dans la pièce.

— Je me demande où il rangeait son alcool.

Son regard tomba sur les deux toiles vierges.

— C'est curieux… A croire qu'il ne peignait pas, mais venait simplement ici pour s'enivrer.

Elle s'arrêta ensuite devant un vieux Gramophone et examina les pochettes des disques qui se trouvaient à côté.

— Edith Piaf… Une grande chanteuse, mais elle aurait pu conduire le plus heureux des hommes au suicide.

Paul suivait des yeux son parcours exploratoire sans y participer, se rendant compte qu'il répugnait à toucher quoi que ce soit.

— C'est sans doute Maribelle qui a recouvert les toiles de ces draps. Elle a dû venir ici une ou deux fois, après la mort d'oncle David, avant de condamner l'endroit. Elle disait toujours qu'il l'avait chargée, au cas où quelque chose lui arriverait, d'interdire à quiconque d'entrer ici.

Elle haussa les épaules.

— Mais d'après Grand-mère, Maribelle aurait prétendu n'importe quoi si cela l'arrangeait. En tout cas, elle n'a pas pu fermer ce studio sans avoir au moins jeté un coup d'œil dans les placards. Moi, j'en aurais été incapable, en tout cas.

— Mais elle était en deuil ; elle avait perdu son mari…

— C'est vrai. Et, ensuite, son fils est mort sous ses yeux.

Il contempla Ann, stupéfait.

— Vraiment ?

— Oui. Elle chevauchait juste derrière lui. Elle était valet de chien.

— Ce qui signifie ?

— Il y en a deux ou trois dans une partie de chasse. Ils sont chargés de maintenir la meute en bon ordre. C'est elle qui est arrivée la première sur les lieux, après la chute.

— Mais… elle sautait encore par-dessus les barrières ? Elle devait avoir au moins… soixante ans ?

— Et puis après ? J'espère bien franchir encore des obstacles à quatre-vingt-dix ans !

Paul secoua la tête.

— Je ne peux pas m'empêcher de l'imaginer comme les dames du Sud, en robe de dentelle, gants blancs et chapeau.

— Penses-tu ! Je ne crois pas lui avoir vu des chapeaux en d'autres occasions que la messe dominicale. Tante Maribelle a piloté des tracteurs et des moissonneuses-batteuses, entraîné les chevaux et conduit sa camionnette presque jusqu'au jour de sa mort. Non, la vraie dame du Sud à l'ancienne, c'était tante Addy. Elle jouait son rôle à la perfection, mais je pense qu'en réalité, elle devait être plus forte que Maribelle.

— Ah ? Pourquoi ?

— Parce qu'il faut un caractère bien trempé pour endurer sans broncher le fait d'être la parente pauvre qui accepte l'hospitalité de sa sœur fortunée.

Tout en parlant, Ann, armée de son balai, débarrassait la surface des meubles et les murs des toiles d'araignée qui y étaient suspendues, sans suivre de plan particulier ni montrer la moindre précipitation. Elle s'interrompit soudain dans sa besogne pour s'accroupir devant le meuble de l'évier, et tira une paire de gants de travail de sa poche.

— Tiens, tiens ! C'était donc là !

Elle sortit une bouteille de Jack Daniel's Black Label et une autre de brandy Napoléon.

— Oncle David avait bon goût, il faut lui reconnaître cela. Bon, supposons que tu sois peintre. Où rangerais-tu tes pinceaux et ton matériel ? s'enquit-elle, visiblement prise au jeu, en se mettant à ouvrir et refermer les autres placards.

— Ah, voilà des tubes de peinture à l'huile… Incroyable. La peinture n'a pas durci. Des crayons, des blocs de papier à dessin…

Elle les feuilleta fébrilement, les posant au fur et à mesure sur le comptoir.

— Vierges aussi… Tous. Le pauvre. La boisson avait dû le priver de son inspiration, sur la fin. Mais tout de même, nous devrions retrouver quelque chose.

— Bacchus avait dû chasser sa Muse, souligna-t-il sans parvenir à cacher tout à fait son aigreur.

Elle se retourna.

— Ça te trouble, n'est-ce pas, cette histoire d'alcoolisme ?

— L'alcool n'a jamais été mon excitant favori.

— Ah... C'est quoi, alors ? questionna-t-elle avec intérêt.

— Voler.

Vingt minutes plus tard, tout le bric-à-brac d'un artiste s'étalait à même le sol ou sur le comptoir, mais pas le moindre dessin n'avait été exhumé des placards.

— Ce n'est pas possible, observa Paul. Tout ce matériel… Il a forcément réalisé autre chose que des caricatures au crayon. Et si rien n'a été vendu aux enchères, c'est que cela doit se trouver encore ici, quelque part.

— Oui. A moins qu'il n'ait tout détruit. Non, ce serait plutôt Maribelle, dans ce cas.

Elle se mordilla la lèvre inférieure, abîmée dans ses pensées.

— Mais honnêtement, je serais surprise qu'elle n'ait rien conservé du travail de son fils.

Elle marqua un nouveau temps d'arrêt.

— Il n'est pas impossible qu'il l'ait caché. Je suis prête à parier que Maribelle possédait un double de la clé bien avant d'avoir récupéré celle de David, sur son lit de mort. Elle devait venir fureter par ici, en son absence, j'en suis sûre.

— Sauf s'il n'y avait rien à détruire.

— Non, non. D'après Grand-mère, il avait perpétuellement de la peinture incrustée sous les ongles, même après s'être lavé les mains. Ce doit être ça. Il cachait ses peintures et ses dessins. Si je soupçonne Maribelle d'avoir fourragé dans ses affaires, il devait bien s'en douter aussi. Oui, je suis sûre que c'est ça.

— Mais alors, il aurait abordé le sujet avec sa mère ?

— Tu plaisantes ? Je parie qu'ils devaient jouer au chat et à la souris. Ils savaient, tous les deux, mais ils faisaient semblant de rien. David aura redoublé de prudence, simplement.

— Mais elle aussi devait se méfier, si elle le savait à l'affût du moindre signe de désordre dans le studio.

— Evidemment. Elle aurait pu expliquer *une* incursion en prétendant, par exemple, qu'Esther était venue faire le ménage, mais pas deux.

— Qui était Esther ?

— La gouvernante, la cuisinière, la servante. Après la mort de Maribelle, elle a continué à servir tante Addy. Elle lui est restée fidèle jusqu'à la fin.

— Est-elle toujours en vie ?

— Oui, elle habite tout près d'ici.

— Et tu crois qu'elle aimerait recevoir de la visite ?

— Esther ? répondit Ann en riant. Elle en serait ravie. Rien ne pourrait lui faire plus plaisir que de t'offrir un thé glacé et des petits gâteaux en te racontant le bon vieux temps.

« Parfait », songea Paul. Esther, en tant que domestique, devait en savoir beaucoup plus sur ses anciens maîtres qu'ils n'en avaient jamais su sur elle, comme c'était toujours le cas.

Il s'aperçut que, tout à ses pensées, il n'avait pas entendu ce qu'avait dit Ann.

— Je disais que ma tante Karen, la femme de David, n'appréciait guère qu'il passe autant de temps à peindre. D'après Grand-mère, elle se comportait comme si son art avait été non pas une passion, mais une rivale en chair et en os.

Un bref sourire traversa l'expression de Paul.

— S'il refusait de partager son amour pour la peinture avec elle, je l'imagine sans peine. Les femmes détestent ça.

— Ah bon ? releva Ann en se retournant à demi.

Les coins de sa bouche s'étirèrent imperceptiblement, mais elle ne poursuivit pas le sujet.

— Quoi qu'il en soit, son travail n'aurait pas une grande valeur. Sa réputation n'a jamais dépassé les limites du comté.

— Une valeur marchande, peut-être pas, mais sentimentale ? Pour son fils ou, même, pour ta grand-mère... Si tu penses qu'il a caché quelque chose ici, il ne nous reste plus qu'à chercher. Par où commençons-nous ?

— Pas sous le parquet. Il n'y a que de la terre là-dessous. Pas dans la charpente non plus. C'est trop haut et trop difficile d'accès. Peut-être derrière les boiseries ou dans le double fond d'un placard ?

Elle s'avança vers le grand chevalet et se posta devant.

— Que ferais-tu si tu ne voulais pas jeter un tableau mais souhaitais t'assurer qu'il ne serait pas découvert ?

— Tu penses que... qu'il aurait pu le recouvrir de peinture blanche ?

Elle hocha la tête et désigna un pot de sous-couche d'apprêt qu'elle avait déniché au fond d'un des placards.

— Lui... Ou quelqu'un d'autre.

Elle regarda autour d'elle.

— Pour un atelier d'artiste, c'est plutôt bien rangé. Regarde ces pinceaux... Un coup d'eau tiède savonneuse et ils seraient en parfait état, encore aujourd'hui. Etonnant quand on pense qu'il devait être à moitié ivre la plupart du temps qu'il passait ici ! Je dois avouer que les embouts de mes tubes de peinture ne sont jamais aussi nets. Ni même mon tube de dentifrice. Ceux-ci sont parfaitement propres. Pas la moindre dégoulinure. Et classés par couleur. Même ses palettes sont soigneusement ordonnées.

— Oui, mais on voit qu'elles ont beaucoup servi. Ce qui tend à prouver qu'il peignait bien, lorsqu'il était ici.

Elle reporta son regard vers le chevalet.

— Si nous pouvions passer cette toile aux rayons X, nous serions fixés immédiatement.

— Mais nous ne pouvons pas.

Elle lui décocha un petit sourire machiavélique.

— J'ai d'autres moyens de la faire parler... Ce n'est pas comme si c'était une peinture de Michel-Ange, avec quatre cents ans de saleté incrustée dans le vernis. C'est presque comme un badigeon. Je devrais pouvoir ôter l'apprêt facilement avec un chiffon imbibé d'alcool. En ce qui me concerne, j'en grille d'envie. Mais c'est toi le maître des lieux ; il me faut ton feu vert.

— Je t'en prie. Je suis aussi curieux que toi. Pendant que tu travailles, je vais aller au World River nous chercher quelque chose à manger, d'accord ?

— Parfait.

Avec la clientèle qui occupait les tables au café, il dut attendre pendant plus de vingt minutes sa commande. Puis il repassa dans son jardin de derrière par l'intervalle qu'il avait découvert dans la haie, et qui lui évitait désormais de remonter le long de la rue. Au passage, il salua de la tête plusieurs ouvriers mais ne s'arrêta pas, pressé de voir l'avancement du travail d'Ann.

Avant même d'entrer, il entendit Ann siffloter un air irlandais. Les mains encombrées, il donna un coup de pied dans la porte.

— Alors ?

— Pas étonnant que Maribelle ait voulu soustraire ce tableau à la vue des gens ! lança jovialement Ann. Viens voir.

Il se débarrassa des sandwichs sur le comptoir le plus proche et s'approcha.

Son père avait été un excellent portraitiste. Il y avait dans ce tableau le même souci du détail que dans la caricature de Buddy, à la différence près que ce portrait-là était sérieux. Ann n'avait pas tout à fait nettoyé le fond, mais elle avait dégagé l'ensemble du personnage, qui se détachait sur ce qui semblait être une plantation de coton.

— C'est Maribelle, précisa Ann.

Il contempla sa grand-mère, impressionné. Ce tableau lui rappelait la dernière série de portraits que Rubens avait faits de Catherine de Médicis. Maribelle, plus mince que Catherine de Médicis et l'air plus sévère, se tenait en selle, ses bras musclés émergeant d'un polo rouge à manches courtes qui laissait apparaître les marques de l'âge : les taches de vieillesse sur les mains et la peau du cou fripée, abîmée par le soleil.

Elle avait dû être belle dans sa jeunesse, songea Paul. D'une certaine façon, elle l'était encore. Une ossature régulière, un visage ovale, des yeux immenses. Son nez busqué conférait du caractère à un visage qui aurait pu être doux.

Non... Pas doux. Sûrement pas.

Ce portrait aurait fait ressembler Catherine de Médicis à Mary Poppins. Tout, en elle, évoquait la domination. Il n'y avait pas trace de compassion, d'indécision, pas le moindre soupçon d'empathie dans ces yeux et cette bouche pleine. Une femme capable de passion, certainement, mais d'amour ? Paul en doutait.

Une femme prête à tout pour obtenir ce qu'elle voulait, et c'était cela, précisément, que son père avait saisi du bout de son pinceau.

— Evidemment, j'imagine mal tante Maribelle accrochant ce tableau au-dessus de la cheminée, déclara Ann. En revanche, ma grand-mère serait ravie de le voir, elle.

— Pas de problème. Nous le lui montrerons.

— Alors, attends-toi à l'entendre ressusciter toutes les vieilles anecdotes de Rossiter.

Il détacha finalement ses yeux du portrait. Peut-être valait-il mieux que sa mère n'ait jamais rencontré sa belle-mère ? Michelle Bouvet Delaney, de Paris, n'aurait sans doute pas été reçue à bras ouverts par la douairière Delaney. Il se tourna vers le grand chevalet.

— Et celui-là ?

— Laisse-moi le temps de souffler ! repartit Ann en riant. D'ailleurs, j'ai faim.

Ils s'assirent sur le seuil de la petite bâtisse et mangèrent leurs sandwichs tandis que Dante, couché à leurs pieds, poussait de profonds soupirs toutes les deux minutes.

Même à l'abandon comme il l'était, le jardin revenait à la vie sous l'effet du printemps. Paul songea à part soi qu'il lui conserverait son côté sauvage, un peu échevelé. Cet endroit n'était pas fait pour être paysagé de façon classique et s'orner de massifs tirés au cordeau.

Après leur déjeuner, ils rentrèrent, et Paul dut ronger son frein pour ne pas aller gratter la peinture de l'autre toile.

Ann ne semblait plus pressée de se mettre au travail et tournait sur elle-même, debout, au milieu de la pièce.

— Il y a d'autres toiles quelque part, décréta-t-elle en pivotant lentement. J'en ai le pressentiment.

Elle lui sourit.

— Ce n'est pas de la parapsychologie, mais parfois, il m'arrive d'avoir l'absolue certitude que je sais où se cachent certains objets, dans les vieilles maisons...

Elle croisa les bras.

— Je vais me mettre à chercher pour de bon. Je connais les cachettes auxquelles pensent les gens. J'ai des années de pratique. Je devrais pouvoir trouver.

Elle s'assit d'un bond sur l'un des comptoirs qui n'étaient pas encombrés de pots de peinture et s'adossa au mur.

Calé contre la porte, il l'observait sans mot dire.

Il aimait la contempler en toute circonstance, mais, là, c'était différent. C'était un peu comme regarder un entraîneur de basket-ball planifier l'attaque de son équipe ou un pilote calculer l'angle de sa descente en direction d'un porte-avions. Il ne fallait pas la déconcentrer.

Elle ferma les yeux, la tête contre le mur, croisa les bras tandis que ses jambes se balançaient dans le vide.

Quelques minutes passèrent, puis elle se redressa subitement.

— Oh, Seigneur...

— Qu'y a-t-il ?

— Ecoute, je peux me tromper. Mais il fallait qu'il ait accès facilement à ses toiles, non ? Qu'il puisse les sortir de leur cachette quand il le souhaitait. Donc, oublions les boiseries qu'il aurait dû désolidariser du mur chaque fois et les doubles fonds des placards. Trop compliqué.

Elle lui lança une œillade goguenarde.

— J'ai bien envie de jouer les prestidigitateurs et de te demander d'attendre une minute à l'extérieur... Ce qui me permettrait de produire mon petit effet en exhibant triomphalement mes trouvailles à ton retour !

— N'y compte pas.

— C'est ce que je pensais. Tant pis.

Elle sauta à bas du comptoir, tout excitée.

— Donne-moi ce couteau à peindre.

Il obtempéra.

Elle se dirigea vers le radiateur et tapota le tuyau du poêle, au-dessus. Au lieu de sonner creux, le couteau fit entendre un bruit sourd.

Elle se retourna, radieuse.

— Ta-da ! chantonna-t-elle.

Elle écarta les bras comme une magicienne qui venait de réussir son tour de passe-passe et exécuta une petite courbette.

— Ce n'est peut-être pas ce que nous croyons, mais il y a bel et bien quelque chose là-dedans, continua-t-elle en se mettant à gratter la rouille qui s'était formée sur le pourtour du couvercle. Tu peux venir m'aider ?

A eux deux, ils imprimèrent un mouvement tournant au couvercle. Dans un grincement, celui-ci commença à céder. Un centimètre, puis deux... Il se détacha du tuyau si brusquement que Paul manqua tomber à la renverse. Elle le retint par le bras.

Mais seul un paquet de suie s'échappa du conduit.

Elle tambourina encore contre le tuyau, ce qui provoqua une nouvelle avalanche de poussière noire, puis elle enfila son gant et plongea la main à l'intérieur.

— Oh, zut !

— Quoi ? Il n'y a rien ?

— Si, mais je n'ai pas le bras assez long. Essaie, toi.

Elle s'écarta.

Du bout des doigts, il parvint à saisir quelque chose. Il crut d'abord qu'il ne pourrait pas le déloger, mais l'objet vint d'un seul coup et tomba sur le sol, à ses pieds.

C'était une sorte de tube de plastique, d'un diamètre presque aussi large que le tuyau. Il était sale, couvert de toiles d'araignée, mais les rongeurs ne semblaient pas s'y être attaqués.

Ann le ramassa, le posa sur le comptoir et enleva les morceaux de plastique qui en protégeaient les extrémités, puis elle renversa le tube à la verticale et un morceau de papier blanc apparut.

— Nous y sommes !

Ils déroulèrent les dessins empilés et en coincèrent les extrémités sous des pots de peinture. Le premier était un paysage au fusain ; il reconnut l'Arc de Triomphe et les Champs-Elysées. Un sujet standard pour les étudiants des Beaux-Arts.

— Très joli, murmura Ann. Laissons-le à plat. Autant éviter de casser davantage les fibres en le roulant de nouveau.

Paul le déposa précautionneusement à côté, en le calant avec de nouvelles boîtes de peinture.

— Oh, regarde celui-ci !

Paul jeta un regard par-dessus son épaule.

C'était un portrait au pastel d'un garçonnet de deux ans environ. Les yeux noisette espiègles et la crinière blonde ne laissaient pas de doute quant à son identité. Trey Delaney.

— C'est charmant. Pourquoi avoir caché ce dessin ?

— Aucune idée. Tu ne crois pas que ta tante Karen aimerait l'avoir ?

— Si, certainement. Tu le lui donnerais ?

— Bien sûr, mais j'aimerais le lui présenter en personne.

— D'accord. Je t'emmènerai chez elle aussi tôt que possible.

— Où habite-t-elle ?

— En ville. Elle s'est remariée après l'accident d'oncle David. Trey a un demi-frère et une demi-sœur. Ils ne se voient pas beaucoup, je crois.

— Tu veux bien l'appeler pour moi ? Et, si cela ne t'ennuie pas, j'aimerais bien que tu sois là ; tu ferais les présentations.

— Parfait, acquiesça-t-elle aussitôt, l'air enchanté. Je vérifierai si elle est libre demain après-midi. Ça te va ?

— Très bien. Tant que je n'ai pas commencé l'épandage des cultures, je suis libre comme l'air, répondit-il, s'efforçant de dissimuler son trouble à l'idée de rencontrer la femme qui avait enlevé son mari à sa mère.

Ils reportèrent leur attention sur les dessins. Tandis qu'il mettait le pastel de côté, il entendit Ann émettre un sifflement entre ses dents.

Il se retourna et s'immobilisa, interdit.

La jeune fille que son père avait dessinée regardait par-dessus son épaule en riant. Ses longs cheveux noirs volaient au vent. L'espace d'un instant, il ne reconnut pas sa mère dans cette ingénue si pleine de vie et d'entrain. La seule photo qu'il avait d'elle la montrait sous un jour si différent : lasse, désabusée, frêle, l'air plus âgé qu'elle ne l'était en réalité, ses merveilleux cheveux noirs tirés en arrière en une coiffure stricte.

— Elle est très jolie, souligna Ann. Je me demande qui c'est.

Il se retint juste à temps pour ne pas répondre : « Ma mère ».

Puis, au fur et à mesure qu'ils feuilletaient les dessins suivants, ils découvrirent, portrait après portrait, la même jeune femme gaie, offrant son visage à la pluie, riant sous la neige, dégustant une glace, certains réalisés au fusain, d'autres à l'aquarelle.

— Sans doute avait-il placé le paysage sur le sommet de la pile, dans l'espoir de décourager celui ou celle qui découvrirait ces dessins de regarder en dessous, nota Ann. Le pauvre... Il était amoureux d'elle, c'est évident.

Oui, songea sombrement Paul. Peut-être au début de leur idylle, ce qui rendait sa trahison d'autant plus ignoble. Comment avait-il pu la fuir pour s'embusquer en Amérique quelques mois seulement après leur mariage ?

Il ne restait plus que deux ou trois feuilles. Non sans angoisse, Paul songea qu'il ne supporterait pas la vue d'un autre de ces portraits. Il ne se souvenait pas avoir jamais entendu sa mère rire. Pas une fois au cours des six brèves années qu'ils avaient passées ensemble.

La voix d'Ann le ramena à la réalité.

— Et voilà... Je me demandais pourquoi il n'avait dessiné que son visage. Eh bien ! A côté de cela, un tableau de Wyeth Helga passerait pour un portrait chaste.

L'aquarelle lui ôta le peu d'air qui lui restait dans les poumons. La jeune fille s'était muée en femme. Une femme belle, comblée d'amour, nue sur le lit de son amant, offerte, vulnérable. Ses cheveux étaient répandus en corolle sur l'oreiller, ses yeux à demi clos.

— Roule-le, commanda Paul d'un ton bref en se détournant.

— Je ne t'imaginais pas si prude ! C'est une très belle aquarelle.

— C'est… indiscret.

— C'est vrai. Ce dessin traduit à l'évidence une scène d'intimité. C'était la maîtresse d'oncle David, cela saute aux yeux.

Il serra les dents pour ne pas hurler « Pas sa maîtresse. Sa femme ! »

— Bien, conclut Ann. Je l'ai roulé. Mais, attention, ce nu est très beau ; il pourrait avoir de la valeur.

Comment son père avait-il pu faire subir ce destin atroce à celle qu'il semblait avoir vénérée ? Son amour pour elle se lisait dans chaque coup de pinceau. Dans ces conditions, pourquoi lui avoir infligé pareille blessure ? Pourquoi disparaître après lui avoir fait miroiter la perspective d'un avenir commun ? Car c'était ce qu'il avait fait. La femme que Paul voyait sur ces dessins était morte bien avant sa naissance, lorsqu'elle avait compris qu'elle avait été abandonnée. Oh, bien sûr, elle avait continué à respirer, à vivre normalement, mais il n'y avait plus d'énergie vitale en elle.

Ann déroula la dernière aquarelle.

— Celle-ci, je pense que tu peux la regarder.

Il jeta un coup d'œil en direction du papier étalé sur le comptoir. Un rideau de cheveux noirs masquait à demi son visage. Le portrait évoquait la tristesse et le chagrin.

Son cœur s'arrêta. Qu'est-ce que cela signifiait ? Que son père l'avait représentée de mémoire, une fois rentré ici ? Qu'il avait réalisé ce portrait juste avant de quitter Paris ? Ou bien… Troisième et macabre éventualité : l'avait-il dessinée juste avant de la tuer ?

Paul passa l'après-midi aux commandes de son Cessna. Il n'avait pas volé beaucoup, depuis qu'il avait posé son appareil sur ce terrain d'aviation, et il avait besoin de s'éclaircir les idées. Un petit tour dans les nuages l'y aiderait peut-être.

Il devait absolument éviter de tisser des liens trop étroits avec Ann. Pas seulement pour son bien à lui : pour elle également. Lorsque son investigation toucherait à sa fin, lui aussi devrait s'en aller, comme son père l'avait fait. Mais la similitude s'arrêterait là. Pas question, dans son cas, de laisser derrière lui un cœur brisé.

Partir ne serait certes pas chose aisée, il en avait bien conscience. Plus il apprenait à la connaître, plus il l'appréciait, plus il se sentait à l'aise avec elle. A supposer qu'une femme lui ait été destinée en ce bas monde, Ann n'était-elle pas cette femme-là ?

La question qui se posait alors était de déterminer s'il devait renoncer à son désir de punir son père et de retrouver la tombe de sa mère.

Non. Cette mission, c'était la ligne directrice qui avait guidé sa vie. A l'école, au collège, puis, plus tard, à l'Armée de l'air. Même par la suite, s'il lui arrivait de ne pas penser à sa mère pendant des semaines, quelque chose venait invariablement réveiller sa rage. Le visage de tante Helaine, la plupart du temps, l'implorant en silence de venger la mort de sa mère, de lui offrir les funérailles décentes qu'elle n'avait pas eues.

Longtemps, sa colère n'avait pas trouvé d'exutoire… jusqu'au jour où il avait eu sous les yeux les preuves qu'avait dissimulées tante Helaine pendant toutes ces années. Dès lors, il avait eu un but dans la vie : non pas tant se venger que faire triompher la justice.

Mais la justice… pour qui ? Sa mère ? Sa famille ? Tante Helaine n'était plus de ce monde. Et Giselle ne croyait pas à cette idée de vengeance. Quant à Trey… Ma foi, Paul ne pensait pas réellement que les péchés dont un homme s'était rendu coupable puissent être imputés à son fils.

Et pourtant, n'était-ce pas cela même qui avait entaché toute sa vie, à lui ? Les méfaits de son père l'avaient modelé tel qu'il était, avaient érigé un mur autour de lui, le rendant hermétique à toute notion de réelle intimité.

Il voulait en finir une fois pour toutes. Peut-être, ensuite, trouverait-il enfin la paix ?

Mais la paix sans Ann ? Loin de Rossiter ? Sans ces gens qui, à son corps défendant, constituaient sa famille ?

La seule solution consistait à tout arrêter dès maintenant, à vendre la maison et à trouver une île déserte quelque part.

Perspective qui ne le satisfaisait pas.

Il allait persévérer et... advienne que pourrait ! Peut-être rencontrerait-il un peu de compassion dans le cœur des habitants de Rossiter. Tout comme dans le cœur d'Ann. Il n'y croyait pas vraiment, mais il n'avait pas le choix.

Lorsqu'il rentra chez lui, les ouvriers étaient partis. Buddy le rejoignit dans le hall, vêtu de son uniforme de police.

— Je pars en patrouille. Les cheminées sont apparemment en bon état, annonça-t-il joyeusement. Il faut les ramoner, bien sûr, mais les conduits ne sont pas endommagés. Vous regarderez dans la cuisine... J'ai déposé les plans de votre nouvelle cuisine. Vous me direz si cela vous convient. Ah, et j'ai pris contact avec Jim Bob, le paysagiste. Il doit venir voir le jardin afin de concevoir un plan. C'est le moment de planter.

— Très bien.

— La nouvelle installation électrique est presque terminée. Le chauffage et l'air conditionné devraient être installés en fin de semaine. Pour le téléphone, il faudra attendre encore un peu, ajouta Buddy d'un ton d'excuse.

— Et pour ce qui est de la maison elle-même ?

— La recherche de termites a été effectuée cet après-midi. C'est moins grave que je ne le craignais. En deux semaines, nous devrions avoir remplacé tout le bois détérioré.

— La plomberie ?

— Vous avez bien dit que vous souhaitiez conserver le cachet ancien des salles de bains, n'est-ce pas ? Donc, nous nous bornerons à changer les carrelages manquants ou ébréchés, une cuvette de W.C. et deux lavabos sur colonne. Lorsque nous ouvrirons le mur, nous créerons un dressing qui jouxtera la chambre principale.

— Franchement, je me sens un peu dépassé par les événements. Mais vous semblez avoir les choses bien en main. Comment Ann s'en sort-elle ?

Le bip de Buddy résonna à sa ceinture. Il prit l'appareil et lut le message.

— Nom d'une pipe ! Une sortie de route à l'est de la ville. Je dois y aller. A demain.

Buddy parti, Paul se dirigea vers le hall du fond, sortit par la porte de derrière sur le patio de brique. Une petite lumière filtrait au travers de la verrière poussiéreuse de l'atelier.

Il se fraya un chemin jusqu'à la porte et frappa.

— Ce n'est que moi.

Les vitres n'étaient pas les seules à être sales. Le jean et la chemise d'Ann étaient parsemés de taches de peinture blanche, de même que son visage et ses cheveux. Quant à la poussière qui s'était accumulée dans la pièce, elle semblait avoir gravité sur sa personne.

Mais son expression était radieuse lorsqu'elle se tourna vers lui. Elle semblait se passionner pour le travail qu'on lui avait confié.

— C'est l'autre toile... La peinture ne devait pas être complètement sèche lorsqu'elle a été recouverte. J'ai dû faire très attention. Viens voir.

Paul n'était pas sûr de le souhaiter, mais sous quel prétexte aurait-il pu décemment refuser ? Non, ce dont il brûlait véritablement d'envie, c'était d'enfouir son visage dans les cheveux d'Ann et...

— Tu viens ?

Il s'avança, la mort dans l'âme, et contourna le chevalet. Son estomac se contracta douloureusement. C'était un autoportrait qui aurait pu tout aussi bien sortir du grenier de Dorian Gray. Le cliché de son père qu'il avait en sa possession montrait un jeune homme plein d'ardeur et d'allant. D'amour, aussi.

Ce portrait-ci était celui d'un homme rongé par une terrible souffrance.

Sa bouche était entrouverte, comme sur le point d'émettre un cri, sa main gauche était projetée en avant comme pour se retenir de tomber. Paul ne reconnut pas la femme à qui il faisait signe. Sa tête était tournée ; elle ne voyait pas son geste.

— C'est tante Karen, sa femme. Ils ont l'air... à des années-lumière l'un de l'autre. Dans deux galaxies différentes.

Son père avait esquissé une autre silhouette, au fond, derrière lui. Celle d'une femme dont il n'avait pas terminé le visage, mais Paul sut d'instinct que c'était sa mère. L'homme du portrait lui tournait le dos et faisait face à Karen.

Etait-ce le remords qui l'avait conduit à peindre ce tableau ? L'homme représenté vivait manifestement l'enfer, mais il était aussi coupable. Paul baissa les yeux, incapable de supporter plus longtemps ce regard accablé. Pouvait-il encore haïr un homme qui avait ce regard-là ?

Il se ressaisit. La réponse était « oui ». Il avait peut-être souffert, mais en baignant dans le luxe, la richesse et les privilèges.

Alors que le corps de sa mère gisait quelque part, dans l'anonymat.

Alors que sa sœur, tante Helaine, était morte de chagrin, pleurant toujours sa chère disparue.

Et que son fils avait grandi sans ses vrais parents.

Non. Même par-delà la mort, son père devait payer pour le mal qu'il avait fait.

7.

La maison étant en travaux, Ann proposa de stocker les dessins et les peintures dans son appartement, ce que Paul accepta avec reconnaissance.

Il allait de surprise en surprise depuis son arrivée ici, songea-t-il. La découverte des toiles dans l'atelier lui avait dévoilé une autre facette de son père. Il apparaissait maintenant évident que Paul David Delaney avait aimé sa mère d'un amour fou. Il l'avait *épousée*. Pour la conduire jusqu'à son lit, disait jadis tante Helaine. Mais sa mère lui avait déclaré que son père avait eu l'intention de s'établir définitivement à Paris.

Le lieutenant Pinkerton avait épousé Mme Butterfly avant de l'abandonner. Peut-être son père avait-il voulu épouser une *Américaine* ? Peut-être avait-il considéré que le mariage avec une Française ne l'engageait à rien ?

Eh bien, si tel était le cas, il s'était lourdement trompé. Pour éviter que la famille de Michelle ne soit mise au courant, ils avaient fait publier les bans dans l'arrondissement où résidait David, mais cela ne changeait rien. Le mariage de Paul David Delaney avec Michelle Bouvet était bel et bien légal en France et, par extension, dans le monde entier.

Il avait en sa possession le livret de famille de sa mère. Son nom figurait sur la première page réservée aux enfants nés de l'union de David et de Michelle. Paul Antoine Bouvet Delaney. Lorsqu'ils étaient venus vivre aux Etats-Unis avec tante Helaine et oncle Charlie, sa mère avait décidé de ne conserver que le nom de ses parents, Bouvet. Helaine estimait préférable de ne pas avoir à expliquer par quel concours de circonstances il portait le nom de Delaney.

La duplicité de son père avait dû embarrasser Michelle au plus haut point. Aussi bien que la mettre en rage et la chagriner. Tante Helaine lui avait reproché si souvent d'avoir été assez stupide pour croire aux mensonges qu'il lui avait racontés sur ses origines, sur l'endroit d'où il venait.

Combien de fois, après la disparition de sa mère, sa tante ne lui avait-elle pas seriné : « Je ne comprends pas qu'elle ait épousé un homme sans même avoir jeté un coup d'œil à son passeport, ni relevé son numéro et les informations qu'il contenait. » ? Après quoi, Helaine levait les bras au ciel. « Si seulement j'avais été encore en France, je ne l'aurais pas laissé agir avec une telle naïveté ! »

Il savait, par sa tante, que les parents de Michelle avaient très mal réagi lorsque Michelle, enceinte, avait été obligée de leur révéler qu'elle s'était mariée. Ils avaient menacé de jeter leur fille cadette dehors. C'était Helaine qui les avait appelés de Queens pour les convaincre de lui pardonner.

Accepter le mariage d'Helaine avec un G.I. et son départ pour les Etats-Unis avait déjà été difficile pour eux. Ils ne voyaient pas souvent leurs petits-enfants. Ils n'éprouvaient pas de sympathie particulière pour les Américains. Tout le monde savait qu'ils étaient bruyants, primaires, qu'ils manquaient d'éducation et ne savaient pas tenir leurs couverts correctement.

Ils avaient reporté tous leurs espoirs sur Michelle. Tout était prévu : elle se marierait avec un garçon travailleur qui reprendrait l'entreprise, lorsque ses parents se retireraient des affaires, elle leur donnerait des petits-enfants qu'ils pourraient gâter à souhait et les aiderait dans leurs vieux jours.

L'annonce brutale de son mariage clandestin avec un étranger avait anéanti tous leurs plans. Puis, comme si cela ne suffisait pas, Michelle avait laissé son mari l'abandonner à son sort, avec un bébé dans le ventre. Une autre bouche à nourrir. Pas un enfant à choyer et à chérir. Un fardeau.

Michelle n'était plus une ressource monnayable. Elle refusait même l'idée de faire annuler son mariage, malgré leurs suppliques et leurs menaces.

Pour elle, David ne l'avait pas abandonnée. Même lorsque les lettres qu'elle lui avait adressées étaient revenues, portant la mention « Adresse inconnue », même lorsque ses recherches auprès de l'armée américaine et de l'ambassade des Etats-Unis avaient abouti à des impasses, contre vents et marées, elle avait continué à croire qu'il l'aimait.

Mais David n'avait jamais rien su du bébé que Michelle attendait. En se mariant, ils étaient convenus de ne pas avoir d'enfant tant que la carrière de David ne serait pas lancée. Malgré l'argent que continuait à lui envoyer en secret la mère de David, ils étaient pauvres, et Michelle n'avait pas quitté le domicile parental.

Les seuls instants volés où ils pouvaient se voir comme mari et femme, c'était l'après-midi, lorsqu'elle disait à ses parents qu'elle étudiait, ou un soir, de temps en temps, quand elle prétextait qu'elle allait dormir chez une amie.

Lorsqu'elle avait senti ses forces faiblir, tante Helaine avait fini par aller plus loin dans ses confidences et lui avait révélé comment sa mère s'était retrouvée enceinte si peu de temps après son mariage.

Dans les magasins de l'armée américaine, les soldats pouvaient se fournir en préservatifs, avait expliqué tante Helaine. David en possédait encore un stock.

— Ils se présentaient dans de petits emballages carrés, avait-elle cru bon de préciser.

Comme s'il ne savait pas, depuis l'âge de treize ans, ce qu'était un préservatif !

— Ils sont très sûrs, très fiables. Mais il existe des moyens de contourner le problème, avait ajouté la vieille dame avec le sourire faraud d'une enfant ayant trouvé le moyen de puiser en catimini dans la bonbonnière sans se faire prendre.

Sa sœur avait dix-huit ans et était vierge lorsqu'elle lui avait annoncé qu'elle se mariait. En apprenant la nouvelle, Helaine lui avait immédiatement écrit depuis New York pour lui conseiller de se retrouver enceinte sans délai, comme elle l'avait fait elle-même, arguant qu'il serait trop facile à David, sinon, de la quitter. Elle lui avait donc expliqué la ruse à laquelle elle-même avait eu recours : percer le préservatif, à travers le paquet, à l'aide d'une aiguille chauffée à blanc. Simple comme bonjour.

Et le stratagème avait fonctionné.

— Bien sûr, si j'avais su qu'il l'abandonnerait, je ne lui aurais jamais recommandé ma méthode, avait ajouté tristement Helaine.

A ce stade de son récit, elle avait caressé la joue de son neveu.

— Mais tu as été une bénédiction, cher Paul. Dieu a emporté ma sœur, mais il m'a fait don de toi parce que je n'avais pas pu donner de fils à Charlie.

Lorsqu'il avait quitté la vieille dame sur son fauteuil et qu'il était sorti de la pièce, sa cousine, Giselle, l'attendait derrière la porte.

— C'est incroyable ! s'était-elle exclamée à mi-voix. Si j'avais joué un tour pareil à Harry et qu'il l'avait appris, il m'aurait tuée ! Quelles bonnes bases pour bâtir une union, tu ne trouves pas ? Mentir à tes parents, à tes amis, et, par-dessus tout, à ton mari...

— Dieu sait que ma mère a payé le prix fort pour sa tricherie. Mais on peut comprendre son geste, non ?

— Sans doute, avait convenu Giselle, la hanche calée contre le comptoir, dans la cuisine de sa mère. Il paraît que la première précaution que prennent les jeunes femmes qui se font épouser par un millionnaire est d'avoir un enfant d'eux, de façon à accéder au statut de véritable épouse, et non pas simplement de maîtresse nantie d'un papier officiel.

Paul avait ri.

— N'oublie pas, avait-il dit, que les Français sont les gens les plus pratiques du monde lorsqu'il s'agit du mariage. Le pragmatisme ne fait pas toujours bon ménage avec l'amour. Le mariage, c'est le patrimoine et les enfants. Pour les grands sentiments et la passion, il y a les maîtresses et les amants.

— Eh bien, pas de mon point de vue ! Que mon mari essaie seulement de prendre une maîtresse, et j'aurai tôt fait d'aromatiser sa brioche à l'arsenic, crois-moi !

De retour de sa camionnette dans laquelle elle avait commencé à ranger les œuvres de David, Ann s'arrêta dans le jardin, contemplant pensivement la silhouette de Paul, assis sur le seuil du studio, la tête inclinée sur ses bras croisés.

Elle se demanda si sa blessure le faisait souffrir continuellement. Son corps était musclé — très harmonieusement musclé, même, à en juger par la façon dont son jean moulait ses cuisses. Elle aurait tellement voulu caresser cette épaule douloureuse, le tenir dans ses bras pour lui faire oublier la souffrance et cette fatigue qui semblait, de temps à autre, s'abattre brutalement sur lui.

« N'y pense même pas, se morigéna-t-elle. Plus il est épuisé, et plus tu es en paix avec ta libido. »

Paul releva la tête et poussa un profond soupir.

— Décidément, il suffit que je te laisse cinq minutes pour que tu t'endormes, observa-t-elle.

— Je ne dormais pas, dit Paul en se levant et en remuant doucement son épaule droite. Je réfléchissais.

— Mmm..., proféra-t-elle sans conviction. Tu m'aides à transporter les grandes toiles ? J'ai fini de charger le reste.

Dante s'installa au pied de Paul pour ne pas risquer d'abîmer les peintures et les dessins. En deux minutes, ils étaient arrivés jusqu'à son allée. Il leur fallut beaucoup plus longtemps pour tout transférer jusqu'au loft d'Ann.

Tandis qu'elle insérait méticuleusement entre chacune des œuvres une feuille de papier de soie et surmontait le tout par une série de poids, Ann déclara :

— A propos, pendant que tu étais en bas, tout à l'heure, j'ai appelé tante Karen. C'est d'accord pour demain, à 16 heures.

— Bien... Est-ce que je dois apporter des fleurs ? Du vin ?

— Seigneur, non ! Apporte le pastel, ce sera largement suffisant.

— Si tu le dis.

Il se tourna vers la porte.

— Au fait, tu te souviens que j'ai promis de t'inviter à mon tour à dîner ? Tu es libre ?

Le cœur d'Ann se mit à palpiter, mais elle réussit à conserver le sourire. Elle avait très envie de passer une nouvelle soirée en sa compagnie, de l'entendre parler de lui. Ce qui était la pire idée qui soit.

— Merci, mais je crois que je vais me coucher tôt, ce soir. Une autre fois.

*
* *

— Dante nous accompagne-t-il ? demanda Paul, l'après-midi suivant, lorsqu'il vint la chercher et que le chien le contemplait, assis dans l'entrée du loft.

— Non, pas aujourd'hui. Désolée, Dante. Couché.

L'animal la gratifia d'un regard lourd de reproches, soupira profondément et s'écrasa de tout son long sur le sol.

Suivant les indications d'Ann, Paul s'engagea sur la route de Memphis.

— Parle-moi de ta tante Karen. Elle s'est remariée, m'as-tu dit. Comment s'appelle-t-elle, aujourd'hui ?

— Elle a épousé Marshall Lowrance quelques années après la mort d'oncle David. Elle a eu deux enfants de lui, un garçon et une fille. Ils font tous deux leurs études à l'université, loin d'ici, je crois. Mais nous ne les voyons pas souvent. Ils ne participent pas aux grandes fêtes familiales. Entre nous, je pense qu'ils sont un peu jaloux de Trey. Il est beaucoup plus âgé qu'eux, mais il est resté le petit préféré de sa maman.

— Et ton oncle Marshall ?

— Je le considère plus comme le mari de tante Karen que comme mon oncle. Il est associé dans un grand cabinet juridique en ville... Ils sont très à l'aise, financièrement.

Une demi-heure plus tard, ils remontaient l'allée circulaire qui conduisait à la résidence Lowrance. Paul laissa échapper un sifflement entre ses dents.

— Eh bien, en effet... Quel luxe !

A peine avaient-ils posé le pied sur le perron que la porte s'ouvrit toute grande.

— Ann Corrigan ! Entre donc. Voilà une éternité que je ne t'aie vue !

Deux secondes plus tard, Karen Bingham Lowrance braquait son sourire éclatant sur Paul.

— Soyez le bienvenu, vous aussi, monsieur Bouvet. Entrez.

Elle tendit une main longue, fine, élégamment manucurée.

Au moment où Paul allait la saisir, il lui sembla que Karen se raidissait quelque peu, mais, une seconde plus tard, elle était redevenue la parfaite maîtresse de maison.

Avait-il été le jouet d'une illusion ?

Karen les guida jusqu'à une petite bibliothèque aux murs ornés de motifs de chasse et les invita à s'asseoir dans de profonds fauteuils en cuir.

— J'ai toujours adoré ce tapis, remarqua Ann. Il me donne envie de m'asseoir en tailleur par terre.

— Ce que faisaient sans doute les Bédouins qui l'ont fabriqué, souligna Karen.

Paul nota avec plaisir que l'endroit ressemblait très exactement à ce qu'auraient dû être toutes les bibliothèques. Non pas un alignement bien ordonné de reliures de cuir, mais des rayonnages bien remplis d'ouvrages qu'on avait de toute évidence consultés en de multiples occasions.

Paul attendit que Karen se soit posée avec grâce sur le canapé, face à eux, pour prendre place à son tour.

— J'ai proposé à Ann de venir pour le thé, mais, si vous préférez quelque chose de plus fort…

— Rien pour moi, je vous remercie, déclara Paul.

— Vraiment ? Rien du tout ?

— Je frise l'overdose de thé depuis que je suis arrivé, ici, expliqua-t-il.

— Pour moi non plus, tante Karen, déclara Ann.

— Eh bien, je serai donc seule à prendre un verre.

Elle se dirigea vers le bar, à côté, et revint au bout de quelques instants, avec un verre rempli à ras bord d'un liquide mordoré qui ressemblait à du bourbon, avec des glaçons.

— Voilà, commenta-t-elle en se rasseyant. Il est trop tôt pour le gin-tonic. Vous ne voulez pas m'accompagner, vous êtes sûr ?

Paul secoua la tête avec un sourire.

— Alors, montrez-moi un peu ce que vous m'avez apporté, dit-elle en agitant ses longs doigts en direction du paquet que Paul tenait toujours. Je brûle de curiosité !

Il le lui tendit. Lorsqu'elle eut retiré l'emballage, elle contempla en silence le portrait qu'Ann avait encadré avant de le poser sur le sofa, à côté d'elle.

— C'est tout à fait Trey.

Elle effleura délicatement le visage enfantin de son fils, puis releva des yeux remplis de larmes. Dans un geste raffiné et plein d'emphase, elle porta un doigt à ses cils, d'un côté, puis de l'autre, se mordit la lèvre et renifla discrètement, selon un scénario qui semblait bien rodé.

— Où l'avez-vous trouvé ?

— Il était… rangé dans l'atelier d'oncle David, répondit Ann.

— Oh… Je ne me doutais pas qu'il avait un jour pris Trey pour modèle. Y avait-il autre chose ?

Elle se tourna vivement vers Paul.

— Non que je revendique quoi que ce soit. Si David avait un Rembrandt caché dans son studio, il vous appartiendrait. Non, j'aimerais simplement savoir.

— Deux ou trois autres dessins, déclara Paul. Des paysages.

Il sentit le regard d'Ann se tourner vers lui.

— Pas de caricatures ? Il m'en avait montré certaines qui étaient trop scandaleuses pour circuler publiquement. Je ne voudrais pas que les gens tombent dessus aujourd'hui, vous comprenez. Ce pourrait être très vexant.

— Rien de ce genre, assura Ann, ayant manifestement compris que Paul ne voulait pas parler des peintures à Karen.

— Maintenant que j'ai vu le dessin de votre fils et les quelques autres que nous avons trouvés, je commence réellement à m'intéresser à l'œuvre artistique de feu votre mari, madame Lowrance. Pourquoi n'a-t-il jamais exposé ? Ou vendu ses dessins ?

Elle éluda d'un geste vague la question.

— Van Gogh n'a jamais rien vendu.

— Mais ce n'est pas faute d'avoir essayé.

— Eh bien, David, lui, ne s'en est jamais soucié.

Sa voix avait pris une intonation coupante.

— Sa famille n'aurait pas vu cela d'un bon œil. Ils toléraient les caricatures parce que cela amusait les gens et qu'elles finançaient les œuvres de bienfaisance. Mais il n'aurait jamais eu le temps de s'adonner à la peinture ; il avait bien assez à faire avec l'exploitation à gérer, le bétail et tout le reste. Et puis…

Elle marqua un temps d'arrêt.

— Il faut bien avouer qu'il était souvent trop ivre pour être en état de tenir un pinceau.

Paul fut interloqué par la brutalité de sa déclaration et par la rage et la douleur que trahissaient ses paroles. Ann ouvrit la bouche, mais Karen la devança, souriant à Paul comme s'ils avaient discuté de la pluie et du beau temps.

— Vous connaissez cette légende selon laquelle les artistes sont des gens tourmentés, déprimés ? Eh bien, mon mari devait certainement être un artiste, car il était sans conteste torturé.

Elle baissa les yeux vers le pastel.

— Et son mal de vivre déteignait sur son entourage. Il rendait tout le monde malheureux autour de lui.

Elle releva les yeux et laissa échapper un petit rire.

— Ce n'est pas ce que vous vous attendiez à entendre, n'est-ce pas ? Eh bien, si vous voulez garder vos illusions concernant le talent de mon mari, je vous suggère de ne pas trop fouiller dans sa vie.

— Il a étudié à Paris, d'après ce que m'a dit Ann.

Karen soupira.

— Oui, son père n'a pas pu l'empêcher d'être immédiatement enrôlé dans l'armée dès sa sortie de l'Université. Mais Conrad avait suffisamment de relations dans les sphères politiques pour que David ne soit pas envoyé au Viêt-nam. Il a été affecté à une petite garnison près de Paris, mais ensuite, au lieu de rentrer une fois son service terminé, il a emménagé à Paris pour devenir artiste peintre.

Karen roula des yeux consternés.

— *Artiste peintre,* je vous demande un peu ! Son père est entré dans une colère noire et lui a coupé les vivres. Mais sa mère, elle, a continué à lui envoyer de l'argent.

— Qu'est-ce qui l'a découragé et incité à revenir, alors ? demanda Paul.

— Découragé ? David ? Pensez-vous ! Il serait resté là-bas si son père n'avait eu une crise cardiaque. Maribelle lui a fait parvenir un billet d'avion en première classe ; il est venu, bien sûr. Et une fois ici, ma foi... Il était piégé. Son père était malade... Il n'y a qu'un héritier Delaney par génération, et c'était lui. Oh, il a bien essayé, par la suite, de repartir. Il s'est battu comme un lion, mais la bataille était perdue d'avance. Bref, il a fini par renoncer, m'a épousée et s'est attelé au travail auquel il était depuis toujours destiné.

— Tu aurais peut-être dû le laisser retourner en France, souligna calmement Ann.

Karen prit une profonde inspiration.

— Peut-être aurions-nous dû le laisser repartir, corrigea-t-elle. Mais il serait rentré de lui-même au bout d'un certain temps. La vie, ici, lui convenait. Veux-tu savoir ce que je pense ? Je pense que, lorsque Conrad l'a obligé à rester, il a été soulagé de ne pas avoir à trancher.

Elle se tourna une nouvelle fois vers Paul en riant :

— Quand il est revenu ici, il a passé sa première semaine à se goinfrer de cheeseburgers et de milk-shakes au chocolat !

Elle s'interrompit un instant, l'air absent.

— Après son attaque, l'état de Conrad n'a cessé de se dégrader. C'est Maribelle et David qui, à eux deux, ont pris la relève. Et puis je me suis retrouvée enceinte tout de suite après notre mariage. Ce qui a évidemment contribué à couper net la fibre voyageuse de David.

La conversation prit une tournure plus générale. Karen exprima le désir de venir visiter la maison, une fois les travaux achevés. Enfin, ils se levèrent, saluèrent leur hôtesse et s'éloignèrent en voiture tandis que Karen agitait la main, debout sous le porche de son élégante demeure.

A la minute où la voiture de Paul Bouvet disparut dans le tournant, Karen Lowrance se précipita sur le téléphone.

— Sue, je voudrais parler à Trey.

— Il est sur la terrasse, avec les enfants. Il essaie de débloquer la couverture motorisée de la piscine. Elle est bloquée et…

— Il faut que je lui parle, Sue. Immédiatement. C'est urgent.

— Bon, très bien. Je vais le chercher.

Un moment plus tard, la voix de Trey résonna à l'autre bout de la ligne.

— Maman ? Que se passe-t-il ? Pourquoi as-tu parlé sur ce ton à Sue ?

— Au diable Sue ! Viens à la maison. Tout de suite !

— Tu vas bien ? Tu n'es pas tombée ?

— Trey, je n'ai pas quatre-vingt-dix ans ! Fais ce que je te dis ! Je t'attends. Nous discuterons quand tu seras ici. Et pas un mot à Sue.

Elle raccrocha avant qu'il ait eu le temps de parlementer davantage.

Quand son fils entra en coup de vent dans la bibliothèque, elle en était à son troisième bourbon-soda, mais elle avait l'air parfaitement sobre.

— Assieds-toi.

Décontenancé, il obéit.

Trop nerveuse pour prendre un siège, elle arpenta la pièce, son verre à la main.

— Que sais-tu de ce Paul Bouvet qui a acheté la maison ?

— Pas grand-chose, si ce n'est qu'il était pilote de ligne, qu'il a payé argent comptant et engagé de grosses dépenses pour la rénover.

— Pourquoi ?

— Je ne sais pas. Je suppose qu'elle lui plaît.

— Je ne peux pas me contenter de suppositions. Ecoute, je veux que tu réunisses toutes les informations possibles sur ce type. Qui il est, pourquoi il est venu ici, ses antécédents familiaux... Et j'aimerais que tu t'arranges pour récupérer son verre de thé, au World River, et que tu me l'apportes.

— Quoi ? Maman, as-tu perdu la tête ?

— Non. Cet homme… Enfin, il pourrait être dangereux… pour notre famille. Et je ne permettrai pas qu'on touche à la famille. A moi, à toi, à Paul Frédéric ou à la petite Maribelle.

— Mais enfin, pourquoi…

— Ne pose pas de questions, coupa-t-elle. Je t'expliquerai tout en temps voulu. Si j'ai vu juste — et je prie Dieu que ce ne soit pas le cas —, il faudra que nous nous arrangions pour faire partir ce M. Bouvet de Rossiter.

— Mais Bernice va me tuer, si elle me voit partir avec un verre du café !

— Eh bien, débrouille-toi pour fréquenter Paul Bouvet. Invite-le à déjeuner quelque part…

Elle s'assit et se pencha fébrilement vers lui.

— Il serait par ailleurs tout à fait naturel que tu passes à la maison de ta grand-mère pour voir où en sont les travaux…

Elle posa son verre sur la table basse, si brutalement que le liquide gicla hors du récipient.

— Fais en sorte de jeter un coup d'œil à ses affaires. Sa brosse à dents ! Prends sa brosse à dents, ce serait encore mieux.

— Combien de verres as-tu bus aujourd'hui ?

— Ne t'inquiète pas de ça. Contrairement à ton père, je ne suis pas alcoolique, moi. Je peux arrêter de boire d'un claquement de doigt.

— Bien sûr, bien sûr… Mais enfin, te rends-tu compte de ce que tu me demandes ? Je ne peux pas fouiller dans les affaires de ce type !

— Alors, engage un détective privé. Quelqu'un de discret et d'efficace.

— L'un de ceux qu'emploie Marshall ?

— Non !

Plus calmement, elle poursuivit :

— Quelqu'un qui n'ait aucun rapport avec nous.

— Mais où veux-tu que je le trouve ?

— Je ne sais pas ! Consulte les pages jaunes, riposta-t-elle, excédée. Et fais-moi parvenir son rapport sans l'ouvrir. Tu m'entends ?

— Très bien.

Trey s'en alla en secouant la tête.

Lorsque son fils fut reparti dans son énorme 4x4 rutilant, Karen retourna dans la bibliothèque et se laissa tomber, soudain complètement exténuée, sur le sofa. Elle ferma les yeux pour chasser le mal de tête qu'elle sentait sourdre entre ses tempes. Elle avait beau adorer Trey, elle savait que son fils n'était pas un génie. Il avait toujours eu besoin d'être guidé, supervisé. Elle espérait seulement que Sue se montrerait à la hauteur de la tâche, lorsque Karen ne serait plus là.

Lorsque David avait cessé de lui écrire depuis la France, lorsqu'il n'avait plus demandé de ses nouvelles à sa mère, Karen avait compris qu'il avait rencontré quelqu'un d'autre. Elle avait bien failli en prendre son parti et épouser l'un de ses autres prétendants. Ils ne manquaient pas. Marshall Lowrance en faisait partie.

Mais elle n'avait jamais eu d'yeux que pour Paul David Delaney. Depuis le jour où elle s'était fracturé le coude, lorsqu'il l'avait renversée dans la cour de l'école primaire. Il avait été si gentil... Adorable, même. Ensuite, ils avaient grandi ensemble, appris à monter ensemble, participé à leur première chasse à courre ensemble. Joué au docteur ensemble. Bref, ils ne s'étaient plus quittés : il avait été son cavalier aux bals de fin d'année, ils s'étaient juré une amitié éternelle, avaient perdu leur virginité ensemble.

Oh, ils avaient bien rompu une ou deux fois, à l'Université, mais ils s'étaient toujours réconciliés. Comment aurait-il pu en être autrement ? Ils formaient les deux moitiés d'un même être.

Du moins était-ce ce que Karen avait cru… jusqu'au jour où elle avait compris qu'il en aimait une autre.

Les Delaney et la mère de Karen Bingham s'attendaient, eux aussi, à les voir se marier. Malheureusement, ils avaient décidé d'attendre que David rentre d'Europe.

Il avait dû tomber amoureux après avoir quitté l'armée, car Karen lui avait rendu visite en France six mois avant que l'armée ne le libère. Ils avaient fait l'amour dans de petites auberges perchées à flanc de montagne, en Alsace, pique-niqué à côté des châteaux de la Loire. Sur la suggestion de David, ils avaient même passé un week-end à visiter les musées de Paris. Il était tout à fait normal, à ce moment-là. Oh, il lui avait bien donné à entendre qu'il envisageait de rester à Paris, après son service militaire, mais elle avait pris sa déclaration pour une lubie passagère qu'il aurait oubliée, une fois les six mois écoulés.

Lorsqu'il l'avait implorée de quitter Rossiter, de venir le rejoindre en France, elle aurait dû sauter sur l'occasion. Au lieu de quoi, elle avait laissé sa mère et Maribelle Delaney la convaincre qu'elle méritait un grand mariage, ici, chez elle, à Rossiter.

Il avait donc dû rencontrer cette femme à Paris. Dès l'instant où David était descendu de l'avion, à Memphis, pour se rendre au chevet de son père, dès l'instant où elle s'était jetée à son cou pour l'embrasser, elle avait senti cette crispation dans ses épaules, et elle avait su qu'elle avait vu juste. Il était amoureux d'une autre.

Maribelle aussi le savait. Karen se rappellerait toujours le trajet, interminable, de Rossiter jusqu'à l'aéroport.

— Veux-tu toujours épouser David ?

— Bien sûr, avait-elle répondu, comme si elle ne comprenait pas.

— Il a rencontré quelqu'un, là-bas, avait alors assené Maribelle sans ambages. Je l'ai deviné au ton de ses lettres, je l'ai entendu dans sa voix. Je connais les signes. Ils ne trompent pas. Je les ai décelés suffisamment souvent chez les hommes, dans ma vie.

Karen n'en était pas revenue. Le seul homme qu'elle ait connu à Maribelle était Conrad, et elle n'avait jamais entendu dire qu'il délaissait sa femme.

— Alors, veux-tu toujours l'épouser, oui ou non ?

— Je... Je veux qu'il soit heureux.

— Pour cela, il faut que tu lui fasses oublier celle dont il s'est amouraché, là-bas. C'est toi qu'il a toujours aimée. Vous êtes faits l'un pour l'autre.

— Mais David semble voir les choses autrement...

— A toi de le ramener à la raison, ma fille ! Il se sera laissé monter la tête par une petite traînée française, qui lui aura mis le grappin dessus pour se faire épouser et emmener en Amérique.

Karen pensait sensiblement la même chose. Quels parents auraient permis à une jeune fille comme il faut de sortir avec un ex-G.I. reconverti en artiste maudit ?

— Mais comment le convaincre que sa vie est ici ?

— Il restera, même si je dois pour cela l'enchaîner au mur. Mais je veux qu'il embrasse ses chaînes, tu entends ? Moi aussi, je ne veux que son bonheur.

« Tu veux qu'il soit heureux, songea Karen, mais à *ta* façon. Qu'importe son désir, à *lui*. »

— Voilà ce que tu vas faire...

Le conseil que lui avait alors dispensé Maribelle avait bien failli lui faire lâcher son volant.

— Tu sais, Adam et Eve ont inventé la plupart des variantes sexuelles, avait-elle conclu en voyant l'expression de Karen. Nous autres, leurs descendants, nous n'avons fait que les embellir et les agrémenter. Alors, ne te montre pas trop chaste, plie-toi à ses caprices. Sans trop tarder et souvent. Un homme satisfait sexuellement par une femme aura plus facilement tendance à se croire amoureux de celle-ci que de celle qui le tient gentiment à distance. Tu me suis ?

Karen avait donc fait de son mieux pour le séduire, bien que David n'ait manifestement pas souhaité renouer leurs liens. A la première occasion, à la sortie d'un film romantique, elle l'avait persuadé de garer la voiture dans un parking « pour discuter ». Naturellement, les choses avaient suivi le cours qu'elle leur avait donné.

Certes, David avait bien tenté de résister à la pression de ses parents. Elle ne savait pas ce qui s'était dit lors de ces discussions que le père et le fils avaient eues, dans la véranda de la maison Delaney, ni de quelle façon Maribelle s'y était prise pour attiser sa culpabilité. Il avait lutté pendant un bon mois.

A un moment donné, elle lui avait même proposé de s'envoler avec lui pour la France.

Mais il avait simplement secoué la tête.

Au fil des semaines, il s'était de plus en plus impliqué dans l'affaire familiale. La vie de planteur du Tennessee lui plaisait, c'était indéniable. La chape de responsabilités s'était peu à peu installée sur ses épaules. Il avait bien eu un ou deux sursauts de révolte mais, peu à peu, il s'était mis à évoquer Paris et la peinture moins souvent, pour parler de plus en plus des têtes de bétail supplémentaires qu'ils achèteraient, lorsque le ranch Delaney aurait fusionné avec les terres dont la mère de Karen avait hérité à la mort de son époux.

La mère de Karen et Maribelle avaient ressuscité en secret le projet de mariage tombé dans l'oubli, mais avaient revu leurs ambitions à la baisse. Ce serait une cérémonie plus modeste.

Le jour J, Karen avait connu les affres de l'angoisse, se demandant si David n'allait pas renoncer à la dernière minute. Mais il était bien là, devant l'autel, à son arrivée à la petite église épiscopale. Pâle comme un linge. Et, lorsqu'elle l'avait embrassé, elle avait remarqué qu'il sentait l'alcool.

Elle était devenue Karen Bingham Delaney. Son rêve était devenu réalité.

Elle ne se doutait pas, alors, qu'il allait se transformer en cauchemar si rapidement…

Un cauchemar dont elle n'avait émergé qu'à sa mort, lorsqu'elle avait pu refaire sa vie avec un homme compréhensif et deux enfants qui réussiraient probablement bien dans la vie.

Et puis… Paul Bouvet avait débarqué chez elle.

Un seul regard avait suffi.

Pendant des années, elle avait redouté que cela n'arrive. Que la femme avec laquelle David avait eu une liaison à Paris ne surgisse dans sa vie. Pis encore, qu'ils n'aient eu un enfant ensemble et que celui-ci ne vienne un jour réclamer sa part des biens que David lui avait laissés.

Mais les années avaient passé et ses craintes, peu à peu, s'étaient dissipées.

Mais il était là, à Rossiter, aujourd'hui, et son univers s'écroulait.

Trey avait hérité des yeux de son père, mais ceux de Paul Bouvet avaient leur forme en amande. Quant aux cheveux de David, ils étaient beaucoup plus foncés que ceux de Trey. En fait, Paul Bouvet ressemblait globalement beaucoup plus à David que Trey. Il avait les mêmes traits fins. Il se mouvait avec la même aisance athlétique ; elle avait même retrouvé, dans sa démarche, ce léger tressautement caractéristique qu'avait David. Certes, il s'exprimait avec un accent yankee, mais il avait le timbre de voix de son père, et se servait de ses mains en parlant, comme lui.

Peut-être une personne ayant moins bien connu David n'aurait-elle pas décelé la ressemblance, mais elle aurait su que cet homme était le fils de Paul David Delaney si elle l'avait croisé dans la Cinquième Avenue, à New York. Et puis son prénom... *Paul.* Ce ne pouvait pas être l'œuvre du hasard.

Elle aurait tant voulu faire erreur ! Il faudrait qu'elle s'informe auprès de son médecin sur la procédure à suivre pour faire réaliser un test d'ADN en toute discrétion. Il s'agissait de ne pas effrayer Trey tant qu'elle n'était pas *absolument certaine.*

Si le résultat apportait la preuve que Paul Bouvet était bien un Delaney, il lui faudrait réfléchir à la façon de sauvegarder l'honneur et la fortune de la famille.

D'ici là, pas question de laisser deviner à Trey qu'il avait peut-être un demi-frère bâtard. Il aurait été capable de lui ouvrir tout grands les bras, sans se rendre compte que Paul Bouvet pouvait faire valoir ses droits et réclamer une bonne partie de cet argent que Sue et lui dépensaient sans compter. Il s'apercevrait également, un peu tard, qu'il risquait de devenir la risée de Rossiter. Son père l'avait déshonoré.

Tout comme il l'avait déshonorée, elle...

Seigneur ! Il fallait absolument empêcher Paul Bouvet de nuire à son fils et à ses petits-enfants. De la détruire, *elle.*

Il conviendrait de lui montrer poliment la sortie.

Et si la politesse n'y suffisait pas, eh bien, qu'à cela ne tienne ! Il faudrait trouver un moyen plus convaincant pour bouter ce satané Français hors de Rossiter.

8.

Une semaine plus tard, Nancy Jenkins devisait agréablement avec sa fille au téléphone.

— Tu viens dîner dimanche ? demanda-t-elle incidemment à Ann.

— Où ? Chez grand-mère ou chez toi ?

Nancy laissa entendre un ricanement froissé.

— Parce que je ne sais pas cuisiner, peut-être ? Ta grand-mère a eu la gentillesse d'inviter tout le monde après la messe, si tu veux savoir.

— Oh, alors, d'accord. Mais je ne viendrai pas à l'église. J'ai les moulures des rayonnages de la bibliothèque à terminer, dans la maison.

— J'ai une idée. Pourquoi n'amènerais-tu pas ce charmant jeune homme avec toi ? Il sera tout seul, comme une âme en peine… Le café est fermé le dimanche. Je suis sûre qu'il appréciera un bon dîner fait maison.

— Je l'ai à peine croisé en une semaine, déclara Ann. Soit il vole à bord de son avion, soit il est occupé à faire je ne sais quelles recherches, à la bibliothèque.

— Ah bon ? En tout cas, ta grand-mère prétend qu'il est adorable. Et très beau garçon, avec ça.

— Ma grand-mère est une vieille sorcière lubrique ! Et je t'autorise à lui rapporter mes paroles.

— Tu t'en chargeras toi-même. C'est vrai qu'il est beau garçon ?

— Oui, oui… Sûrement, maugréa Ann évasivement.

— Buddy l'aime bien aussi. Amène-le dimanche, que je puisse me rendre compte par moi-même.

— Maman, commença Ann d'un ton menaçant. Je ne veux pas d'une nouvelle relation. A fortiori avec un beau garçon. J'étais *mariée* à un beau garçon. Je sais ce qu'ils valent. Ce ne sont pas de bons maris.

— Ne généralise pas, s'il te plaît. Ce n'est pas parce que tu as connu *une* mauvaise expérience que…

— Maman, arrête. Je n'ai pas eu « une » mauvaise expérience. J'ai vécu six années de désastre marital !

— Mais lui ne manque pas d'argent, apparemment. Il ne te demandera sûrement pas de l'entretenir comme Travis…

— Il ne me le demandera certainement pas, en effet, parce que je ne vais pas me marier avec lui. Ni avec quelqu'un d'autre. En tout cas, pas avant très, très longtemps.

— Mais je veux des petits-enfants !

— Eh bien, tu n'as qu'à en adopter.

— Oh, parfois, je voudrais t'étrangler !

— Nous sommes quittes, dans ce cas. Au revoir, chère mère.

— Attends… Alors, pour dimanche ? C'est d'accord ?

— Oh, Seigneur ! Oui, d'accord.

— Parfait ! Arrange-toi un peu. Tu pourrais même peut-être, à titre exceptionnel, aller jusqu'à mettre une robe ? Ce n'est pas un gros mot, tu sais. La dernière fois que j'ai eu l'occasion de vérifier, tu avais des jambes, mais je ne les ai pas vues depuis si longtemps que je ne suis plus sûre que ce soit encore le cas aujourd'hui. Tu n'as pas de problème circulatoire ? Les chevilles enflées ou…

— Mes chevilles vont très bien, merci pour elles. Je ne crois pas avoir de robe dans ma garde-robe, mais *si* je parviens à mettre la main sur une jupe, je la porterai... à *condition* que tu cesses de me harceler. Et *si* je vois Paul, je l'inviterai.

— Tant mieux. Sinon, je demanderai à ton père de s'en charger.

Sur cette réplique sans appel, sa mère raccrocha.

Dans l'esprit de la gent féminine de Rossiter, une femme avait besoin d'un mari, qu'elle gagne bien sa vie ou pas. La mère d'Ann et sa grand mère étaient tout de même revenues sur cette opinion lorsque Ann était partie avec Travis Corrigan pour lui permettre d'embrasser cette carrière de directeur de théâtre, à Washington, dont il rêvait tant.

Son diplôme d'histoire de l'art en poche, elle n'avait pas trouvé la place de conservateur-adjoint dans un musée qu'elle briguait, mais sa formation en restauration d'œuvres d'art lui avait permis d'être embauchée dans une galerie chic de Foggy Bottom. Le travail était minutieux, difficile. Mais cela ne la gênait pas de consacrer toute son attention à la réparation d'un carré de quinze centimètres de côté sur une toile du XVIe siècle d'un peintre inconnu ; elle y mettait le même enthousiasme, la même application que s'il s'était agi d'un Rembrandt.

De temps en temps, il lui arrivait de tomber sur une découverte fascinante en nettoyant un tableau. Un jour, le directeur de la galerie l'avait gratifiée d'une jolie commission parce qu'elle avait mis à jour une main qui avait été recouverte de peinture sur une toile espagnole du XVIIe siècle.

La plus grande partie de son temps libre, elle le passait à aider son mari à créer du mobilier et des accessoires et à monter les décors de son théâtre. Elle allait se coucher, le soir, harassée mais heureuse.

Jusqu'au jour où elle avait appris la première infidélité de Travis. D'abord, il avait nié, puis il avait avancé qu'il l'avait trompée parce qu'elle n'était jamais là, qu'elle travaillait continuellement, qu'elle ne se préoccupait pas de son apparence extérieure. Quand était-elle allée chez le coiffeur pour la dernière fois ? Elle ne faisait aucun effort pour paraître séduisante.

Elle avait reconnu ses torts. Elle n'avait pas été suffisamment attentive, pas fait preuve d'assez d'inventivité au lit. Tombant en larmes dans les bras l'un de l'autre, ils s'étaient réconciliés sur l'oreiller en se jurant un amour éternel.

Mais, à chaque nouvelle trahison, Ann s'était renfermée un peu plus dans sa coquille, elle était devenue un peu plus silencieuse, cherchant l'oubli en s'abîmant toujours plus dans son travail.

Lorsqu'il avait perdu son poste de directeur parce qu'il avait couché avec la femme d'un producteur, le théâtre avait manqué à Ann. C'était injuste. Par la faute de Travis, elle se retrouvait privée d'une activité qu'elle adorait, alors qu'elle était la meilleure décoratrice de théâtre des environs.

Puis, un jour, il était entré dans leur appartement, avait pirouetté sur lui-même et annoncé, exultant :

— Nous partons pour New York ! Nous allons sous-louer cet appartement et chercher quelque chose à Soho ou dans le Village. Je vais travailler comme directeur artistique à Broadway, quelque part, et m'inscrire à l'Actor's studio. Avec mon physique, je suis fait pour être acteur !

Stupéfaite, elle avait commencé à protester. Il voulait qu'elle abandonne son emploi ? Celui-là même qui payait les factures et leur permettait de vivre ?

— Mais tu en trouveras un autre en un rien de temps, avait-il riposté. Quel rabat-joie tu fais ! Moi qui croyais que tu allais me sauter au cou… Tu es d'un égoïsme, vraiment…

Elle était tombée amoureuse de New York. Et, de fait, elle avait rapidement été engagée par un important cabinet spécialisé dans des projets de restauration complète — maçonnerie, meubles, sculptures, œuvres d'art... Pendant six mois, elle avait suivi une formation et appris de nouvelles techniques qui lui avaient permis d'élargir son champ de compétences. Au final, elle était devenue l'une des restauratrices les plus expérimentées de la société. Elle avait participé à des missions dans le Vermont, les Hamptons, à Philadelphie et en bien d'autres endroits. Les clients commençaient à la solliciter, elle, spécifiquement.

Travis étant généralement occupé à répéter, le soir, ou à jouer dans quelque obscure pièce d'avant-garde au fond du sous-sol d'une église, ses soirées étaient le plus souvent solitaires. Et, pour être tout à fait franche, disposer de l'appartement pour elle seule ne lui déplaisait pas.

Lorsqu'elle avait besoin de compagnie, elle sortait avec ses collègues. Ils formaient une belle équipe. A eux quatre, ils étaient imbattables : Marti, originale de quatre-vingt-dix kilos, diplômée de Barnard, qui sculptait le bois comme personne, était devenue la sœur qu'Ann n'avait pas eue.

Puis, il y avait Zabo, transfuge du Bénin, qui excellait dans le travail du métal, comme ses ancêtres, avant lui, depuis le XVIe siècle, et Sebastian, grand, mince, homosexuel, avec des mains toujours en mouvement, très volubile, incollable sur l'architecture classique. Le dernier de la troupe était Tonio. Très mince, avec des yeux de jais et un sourire qui faisait fondre tout ce qui portait jupons, il était le spécialiste du marbre.

Zabo avait appris à Ann à utiliser un tour pour recréer les pièces de bois manquantes. Marti lui avait enseigné les rudiments de la sculpture, Sebastian les merveilles du plâtre, et Tonio avait essayé de la guider jusqu'à son lit.

Travis et elle cohabitaient, désormais.

Puis, un après-midi, Travis était arrivé, une bouteille de champagne dans une main et un bouquet de roses dans l'autre.

— Chérie ! Fais tes valises ! Nous partons pour Los Angeles !

Ann, affalée dans un fauteuil, avait brusquement levé les yeux de son roman policier.

— Comment ? Quoi ?

— Los Angeles, chérie ! Ho-lly-wood ! avait-il proclamé en détachant les syllabes.

Une désagréable sensation de déjà-vu s'était emparée d'elle.

— Mais... de quoi parles-tu ?

— De la terre promise, chérie ! Je sais que j'ai ce qu'il faut pour réussir là-bas. Le visage, le corps... Tout ! Je suis de l'étoffe dont sont faites les stars !

Qu'y avait-il à répondre à cela ?

— Je m'envole demain soir pour la côte Ouest. La côte Ouest ! Seigneur, rien que ce mot est excitant ! Sid m'a déjà trouvé deux auditions et une publicité.

Remarquant enfin son silence, il l'avait regardée, étonné.

— Qu'y a-t-il, chérie ? C'est ce que nous avons toujours espéré. Deux ans de patience, et nous vivrons dans une immense villa à Malibu.

— Non.

Le mot était sorti de sa bouche machinalement.

— Quoi, non ?

— Je ne pars pas.

— Non, pas tout de suite, bien sûr. Il faut d'abord que je nous trouve un appartement, que j'engrange un ou deux chèques...

— Je ne pars pas. Ni tout de suite, ni plus tard.

— Mais enfin, c'est ce qu'on a toujours voulu !

— C'est ce que *tu* veux. Et depuis seulement un an.

— Le théâtre, ça a toujours été ma vie !

— Pas en tant qu'acteur.

Il laissa tomber les roses sur la vieille table du salon.

— Mes aspirations t'ont toujours irritée. C'est toi qui bridais mon ambition !

Elle s'était laissée tomber sur le canapé aux ressorts fatigués.

— Et les femmes ? C'est ma faute aussi, n'est-ce pas ?

— La vérité, c'est que je n'évolue plus dans le même univers étriqué que toi. Je comprends pourquoi les comédiens, une fois à Hollywood, se séparent de leur femme lorsqu'ils accèdent à la célébrité. Tu crois que ce serait valorisant pour moi, d'être vu, descendant le tapis rouge, avec toi à mon bras ?

— Tu as tout à fait raison. Nous n'évoluons plus dans la même sphère.

Elle se mit à rire.

— Et si on ouvrait cette bouteille de champagne pour célébrer notre prochain divorce ?

— Quoi ?

Il semblait interloqué. De toute évidence, il ne s'était pas attendu à ce que les choses aillent si loin. Il allait avoir besoin d'argent pour payer ses cours de comédie et un appartement agréable.

— Voyons, calme-toi. Une remarque, et tout de suite, les grands mots !

— Mieux vaut demander le divorce tant que tu es à New York, avant d'être devenu riche. Dans l'Etat de Californie, c'est le régime de la communauté de biens qui est en vigueur. Quand tu seras domicilié là-bas et que tu auras gagné ton premier million, tu seras obligé de me verser une pension alimentaire faramineuse.

— Cesse de plaisanter.

— Je ne plaisante pas.

— Tu es en colère.

— Nous partagerons les CD. Je te laisse les meubles. Dieu merci, nous n'avons pas racheté de voiture, ici. Une fois que nous aurons payé les honoraires de l'avocat, nous nous partagerons ce qui restera. Est-ce que ça te va ?

— Non. Allons, viens, chérie.

Travis ne voulait réellement pas divorcer. Le fait d'être marié lui servait peut-être de prétexte pour ne pas prolonger ses innombrables liaisons.

Elle s'était laissé conduire jusqu'au lit conjugal pour la dernière fois.

Le lendemain, Travis s'envolait pour Los Angeles, comme prévu. Quant à elle, elle avait convoqué ses collègues et amis pour les mettre au courant.

Tout le monde s'accorda pour dire qu'elle n'avait que trop attendu pour jeter ce parasite dehors.

Ann s'aperçut tout à coup qu'elle avait envie de rentrer chez elle.

Lorsqu'elle les en informa, tous furent horrifiés et poussèrent les hauts cris, protestant qu'ils ne voulaient perdre ni son amitié ni ses talents.

— Mais peut-être ne les perdrons-nous pas, avait fini par déclarer Marti avant d'expliquer ce à quoi elle pensait.

Lorsque Ann avait parlé à son patron de repartir pour le Tennessee, afin de travailler en cavalier seul tout en continuant à accepter des missions ponctuelles pour lui, il avait d'abord regimbé. Deux jours plus tard, il souscrivait à sa demande.

— Mais seulement à condition que tu me donnes la priorité, avait-il précisé.

Elle l'avait embrassé, puis avait prévenu ses parents de son retour.

Et voilà comment, divorcée d'un homme qui, à ce jour, n'avait jamais décroché un rôle dans une grosse production, elle s'était retrouvée à vivre dans un double loft, dormant la moitié du temps dans des chambres d'hôtel ici ou là, lorsqu'elle était en mission loin de chez elle, partageant sa vie avec un énorme chien qui, contrairement à son ex-époux, lui vouait une fidélité sans limites.

Paul descendit du biplan Stearman avec une sensation de véritable accomplissement. Il avait oublié à quel point ce genre de petit monstre pouvait se montrer capricieux par vent de travers. Son Cessna volait pratiquement tout seul, lui. Un appareil fiable, au maniement facile, mais nettement moins amusant à piloter.

— Abstiens-toi de faire ces tonneaux quand tes réservoirs seront chargés de désherbant, mon gars !

Paul leva les yeux de son carnet de vol et sourit à Hack Morrisson, l'homme qui allait l'employer comme pilote d'épandage aérien à temps partiel. Hack était également propriétaire de deux Air Tractor et de l'aérodrome local.

— Je te signale que c'est toi qui pilotais et qui as bien failli me faire rendre mon quatre-heures, riposta Paul.

Il avait été épouvanté par l'aspect extérieur de Hack, la première fois qu'il l'avait vu. Celui-ci était affligé d'un léger boitillement. Il portait en permanence un bleu de travail crasseux surmonté d'un vieux débardeur blanc déchiré, tendu par une bedaine rebondie, qui exposait des bras noueux, brunis par le soleil. L'huile et le cambouis étaient incrustés dans ses paumes.

Ses bottes de cow-boy avaient été marron un jour, mais, tels des caméléons, elles avaient désormais pris la couleur de la terre poussiéreuse qu'elles piétinaient quotidiennement, sans espoir de luire de nouveau un jour. Il vivait dans une grande caravane, installée derrière le premier des six hangars où ses clients rangeaient leurs avions privés. Pour parachever cette image de rustre du Sud, il avait perpétuellement un mégot de cigare fiché au coin des lèvres.

Paul considéra son compagnon, un demi-sourire aux lèvres.

— Vous êtes un vieil imposteur, Hack Morrisson ! D'où t'est venue cette idée ? Tu as décidé de copier le personnage d'un vieil excentrique d'un film de série B sur la Deuxième Guerre mondiale, c'est ça ?

Hack lui jeta un regard en dessous.

— Je ne vois pas ce que tu veux dire.

— Non ? Je me suis renseigné sur toi, avant de placer mon avion ici. Tu es diplômé de West Point, tu as quitté l'armée avec le grade de colonel et, si j'avais au compteur autant d'heures de vol que toi, je crois bien que je pourrais voler sans avion !

— Bon. Alors, écoute-moi, bien, mon petit gars. Ne t'avise pas d'aller crier ça sur les toits. Je ne veux pas que quelqu'un d'autre soit au courant.

— Mes lèvres sont scellées. Mais pourquoi ?

Hack soupira.

— J'ai passé vingt-cinq ans à astiquer et à briquer. J'en ai eu assez. Après la mort de ma femme, j'ai décidé de vivre mes vieux jours sans m'embarrasser d'artifices.

Il sourit à Paul.

— Et ça marche assez bien. Bon... On va commencer à épandre d'ici à deux semaines. Mieux vaudrait que tu t'entraînes à manier ce Stearman délicatement — comme une belle femme ! — si tu ne veux pas te retrouver avec des broches dans tous les os du corps. Quand reviens-tu voler ?

— Est-ce que je devrai t'emmener ?

— Pas forcément. Tu es un bon pilote. Le Stearman est un vrai bijou à piloter. Tu peux même amener ta petite amie, si ça te tente. Tout ce que je te demande, c'est de payer le carburant.

— Je n'ai pas de petite amie.

— Trouve-t'en une.

Hack s'éloigna en claudiquant, ses mains sales enfoncées dans ses poches sales.

Paul comprit qu'on venait de lui signifier son congé.

9.

Le jour où il commença à travailler pour Hack Morrisson, Paul n'eut plus une seconde pour s'enquérir de l'avancement des travaux dans sa maison. Il ne rentrait chez lui que pour se doucher, dormir, se raser et se changer. Hack l'accompagna pendant les deux premiers jours, puis le laissa seul aux commandes de son précieux Stearman.

Ce qui était censé constituer un emploi à mi-temps se changea rapidement en un travail de l'aube au crépuscule, sept jours par semaine. Si voler avait manqué à Paul, il rattrapait en accéléré le temps perdu.

— Ça ne durera pas longtemps, assurait Hack. Dès qu'ils auront commencé à planter, nous aurons six semaines de répit avant d'épandre les insecticides.

Un soir, en descendant de son Stearman, harassé, Paul demanda à Hack :

— Dis-moi, quand viens-tu épandre avec moi à bord d'un de tes Air Tractor ?

Hack grimaça, dansa d'un pied sur l'autre et enfonça les mains dans ses poches en détournant les yeux.

— C'est que… Tu sais, les réflexes ne sont plus ce qu'ils étaient. Oh, je suis toujours apte à voler, évidemment, mais… En fait, voilà quelque temps que je songe à trouver quelqu'un pour reprendre l'affaire. On gagne bien sa vie, et puis… je resterais en tant que pilote aussi longtemps que possible. Mais j'en ai vraiment assez d'être aussi occupé. Je voudrais revoir certains endroits que nous avions visités, Virginia et moi, avant de m'en aller.

— Menteur ! Quel vieux filou tu fais ! Ce n'est pas ce qui était prévu. Pas question que j'achète une entreprise d'épandage de cultures ni un aérodrome privé, si c'est ce que tu as en tête.

Le visage de Hack était tout de candeur et d'innocence, mais une lueur rusée dansa dans ses yeux.

— Mais est-ce que je t'ai demandé quelque chose, fiston ?

— Je ne suis même pas sûr d'approuver l'effet qu'a l'épandage de produits chimiques à grande échelle sur l'environnement.

— Oh ? Tu préférerais mourir de faim ?

— Je ne mange pas de coton, que je sache.

— Mais des tas de gens vivent de sa culture. Et puis, les restrictions et les contrôles sont si nombreux aujourd'hui que tu peux être sûr que ces produits n'affectent que les mauvaises herbes et les insectes nuisibles. Pas le droit de voler dès qu'il y a un souffle de vent… Interdiction absolue de déborder, de pulvériser les champs voisins. Ils se fichent comme d'une guigne que les pilotes risquent leur vie en volant à deux mètres du sol, pourvu que l'épandage atteigne sa cible, et uniquement sa cible !

— Franchement, Hack, je suis épuisé. J'aurais bien besoin d'un jour de congé.

— Alors, prie pour qu'il pleuve. Il est interdit d'épandre quand il pleut.

*
* *

Ce fut le grattement des branches contre les vitres de la véranda et le martèlement de la pluie qui l'éveillèrent, le lendemain matin.

— Merci, mon Dieu ! murmura-t-il en se tournant sur le côté.

Les travaux se poursuivaient, dans la maison, comme s'ils devaient ne jamais finir. Certes, il disposait maintenant de l'eau chaude, du chauffage et de l'air conditionné, mais ces améliorations-là, si elles facilitaient la vie, ne se voyaient pas. La maison donnait l'impression d'être prise dans une faille spatio-temporelle, hésitant entre résurrection et écroulement définitif.

Dans la matinée, Paul chercha Buddy pour s'informer des progrès du chantier.

— La cuisine, Buddy ? Quand pourrai-je cuisiner ?

— Vous faites de la cuisine, vous ?

— Oui. Sinon, pourquoi aurais-je acheté une plaque de cuisson et un four en acier brossé ultrasophistiqués ?

— Très juste. Eh bien, figurez-vous qu'ils ont livré les éléments voilà une dizaine de jours. Nous les avons adaptés aux dimensions, nous avons découpé les plans de travail en granit, fixé les différents accessoires. Bref, d'ici peu, vous devriez avoir une cuisine.

Paul chercha où se cachait la mauvaise plaisanterie, mais Buddy avait l'air parfaitement sérieux.

— Mais ne vous avisez pas d'entrer dans la pièce pour le moment. L'arrivée du gaz a été bouchée en attendant la mise en place du nouvel électro-ménager, mais il suffirait d'un faux mouvement pour déplacer le bouchon et causer une fuite de gaz qui ferait sauter la maison, et nous tous avec. J'ai mis des pancartes pour prévenir du danger à l'extérieur et à l'intérieur, mais on ne sait jamais… Dites, quand me donnerez-vous le feu vert pour abattre ce vieux studio ? Que je puisse vous construire un garage...

Paul hésitait encore, quant à l'atelier. Son père avait passé tant de temps dans cet endroit qu'il semblait imprégné de sa personnalité. Peut-être pourrait-il être restauré et déplacé dans une autre portion du terrain ? Il lui faudrait requérir l'avis d'Ann sur la question.

Il l'avait à peine croisée depuis plus d'une semaine. Et encore, chaque fois qu'il l'avait vue, elle s'était excusée, prétextant qu'elle était débordée de travail.

Au café, ce matin-là, alors qu'il prenait son petit déjeuner, le journal à la main, une ombre s'allongea sur la page qu'il était en train de lire. Il leva les yeux. Trey Delaney se tenait devant lui, le sourire aux lèvres.

— Bien le bonjour ! lança-t-il chaudement. Ça va ?

Paul se redressa à demi pour lui serrer la main.

— Bonjour. Je vous en prie, asseyez-vous.

Toujours se montrer cordial envers son ennemi... Surtout lorsque vous espérez lui soutirer des informations.

— Bernice, un café ! lança Trey avant de reporter son regard noisette angélique sur Paul. Alors, ces travaux ? Je pensais passer dans la journée, voir un peu où vous en étiez. Sue aussi aimerait bien aller y jeter un coup d'œil.

— Quand vous voudrez. Les ouvriers sont sur le chantier toute la journée, et le soir, je suis là. En fait, je suis content que vous soyez passé ici, parce que je voulais vous demander si vous saviez où je pourrais retrouver les lustres d'origine de la maison. Surtout le grand chandelier du hall d'entrée. J'aimerais essayer de les racheter.

— Je dois avoir la liste des acquéreurs à mon bureau… Merci, ma belle, dit-il avec une désinvolte familiarité à Bernice, qui déposait son café devant lui.

Cette familiarité des gens du pays, typiquement sudiste, à laquelle Paul n'accéderait jamais, dût-il passer les quarante prochaines années de sa vie ici.

Non qu'il en eût l'intention. Tout le monde était très sympathique, très hospitalier, mais il avait entendu suffisamment de « Passez donc nous voir » informels, depuis qu'il était ici, pour savoir désormais reconnaître une invitation vide de sens. Dans le New Jersey, quand on invitait quelqu'un chez soi, on s'attendait véritablement à ce qu'il vienne.

— Ça vous ennuierait que je jette un coup d'œil à cette liste ? reprit Paul.

— Je vous emmène aussitôt que j'aurai bu mon café ! J'allais à mon bureau, de toute façon.

Malgré les vigoureuses protestations de Trey, Paul insista pour payer l'addition, puis il le suivit jusqu'à l'autre côté du square. Ils passèrent devant l'énorme ours enchaîné à la colonne et entrèrent dans le bureau meublé de deux vieux bureaux, de quatre chaises bancales, d'une rangée de classeurs hors d'âge, de deux ordinateurs, d'une imprimante à laser, d'un télécopieur-photocopieuse, d'un téléphone et d'un petit réfrigérateur. A l'exception de l'équipement informatique, rien, dans cet endroit, n'avait dû changer depuis l'époque du premier Paul Delaney de la dynastie.

— Asseyez-vous, suggéra Trey en se mettant à ouvrir des tiroirs. Vous prenez quelque chose ?

Comme il était 9 heures du matin, Paul présuma qu'il ne lui proposait pas de l'alcool. Il refusa poliment.

— Allons donc, il fait chaud ! Vous boirez bien un Coca-Cola avec moi ?

Il avait déjà sorti deux verres d'un placard. Il les remplit, lui en tendit un et leva le sien.

— A vous et à votre maison !

Il but la moitié de son contenu d'un seul trait, le reposa et reprit ses recherches.

— Ça alors ! Je me demande où elle est passée ! s'exclama Trey, le front plissé. Ecoutez, voilà ce que nous allons faire : je vous l'apporterai quand je passerai chez vous pour voir la maison, d'accord ?

— Il n'y a pas urgence, vous savez. Ne vous inquiétez pas.

— Aucun problème, puisque je pensais passer, de toute façon. Ça me donnera l'occasion d'embrasser ma chère cousine.

— Votre cousine ?

— Ann Corrigan. C'est ma cousine au deuxième degré. C'est suffisamment éloigné pour que je puisse l'embrasser, non ? souligna-t-il en riant. Je suis content qu'elle soit rentrée au pays. Elle était très mal mariée.

Son visage s'assombrit et il secoua la tête.

— Je ne voudrais pas qu'elle ait une autre déconvenue.

Un avertissement. Un avertissement, à n'en pas douter. Paul hocha la tête, s'apprêtant à prendre congé, lorsqu'il s'arrêta et pivota sur lui-même.

— Je sais que c'est peut-être indiscret, mais il faut que je vous pose la question : que fait cet ours, là, dehors ?

— Ol' Smokey Joe ? Oh, c'est une longue histoire ! Vous viendrez à la maison un soir de la semaine prochaine, et je vous la raconterai.

Encore un de ces « Passez donc à la maison » qui ne signifiaient rien, ou bien une authentique invitation ?

— Disons… mercredi ? Vous venez souper. Sous réserve que Sue n'ait pas pris un autre engagement pour ce soir-là, bien sûr. Et amenez Ann, d'accord ?

— Eh bien… Entendu, merci. Je lui transmettrai.

Il était donc aimablement convié à aller dîner à la table de son demi-frère. Qu'éprouvait-il ? Il ne savait trop quoi en penser.

Il rencontra Ann au moment où elle sortait de la salle de séjour.

— Ah, tu es là... Tu tombes à pic ! s'exclama-t-elle. Ferme les yeux et donne-moi ta main.

— Y a-t-il un problème ?

— Pas exactement.

Sa main se nicha dans la sienne, petite et tiède. La chaleur qui en émanait se communiqua à son corps entier tandis qu'elle le guidait jusqu'au salon. Même avec les yeux clos, il devina que c'était là qu'elle l'emmenait. Ils gravirent quelques marches, puis s'arrêtèrent.

— Voilà. Tu peux ouvrir les yeux.

Elle avait fini de restaurer le trumeau de la cheminée. Les silhouettes sculptées dans le chêne avaient retrouvé leur beauté initiale. Les cavaliers et leurs montures galopaient, poursuivant des cerfs, sous les arbres agités par le vent.

Elle guettait sa réaction, le sourire aux lèvres.

— Alors ?

— C'est incroyable. Comment savais-tu que, sous toutes ces couches de peinture et de vernis, tu trouverais… ceci ?

— Je savais que ce serait beau. Mais je ne me doutais pas que ça le serait à ce point.

Elle caressa un cerf du bout du doigt.

— Quand je mets à nu quelque chose comme ça, je… j'adore mon travail.

— Est-ce le moment où je suis censé louer ton génie ?

— Exactement.

— Tu es un génie. Tu mérites une récompense.

Sans lui laisser le temps de réagir, il referma ses bras autour d'elle et l'embrassa fougueusement en la pressant contre lui. L'espace d'un instant, elle se débattit, puis elle enroula ses bras autour de son cou, se lova contre lui et lui retourna son baiser.

Ce fut un baiser mémorable, du moins de son point de vue. Une exploration si enfiévrée que son corps se rigidifia au bout de quelques instants ; il sentit les pointes de ses seins s'ériger sous le mince T-shirt. S'ils avaient été à l'étage, dans sa chambre, il n'aurait pu résister à la tentation de les faire culbuter, toujours enlacés, sur son lit. La saveur de sa bouche était suave et sucrée comme celle des mûres, en plein été.

— Oh, pardon !

Paul entendit les portes coulissantes se refermer.

Ann mit fin à leur étreinte.

— J'espère que ce n'était pas Buddy.

Il tenta de la retenir.

— Tu es une adulte.

— Explique ça à mon père, dit-elle en reculant et en lissant son T-shirt. J'ai été mariée pendant six ans, mais...

— Six ans ?

— Hé oui ! Je n'apprends pas vite, apparemment. Et puis je préfère un mal connu à un mal inconnu. Je t'ai prévenu que je ne prenais pas de risques.

Il contempla le trumeau de la cheminée.

— Tu n'apprends peut-être pas vite, mais tu apprends bien, en tout cas, si j'en juge par tes talents.

Un petit sourire incurva les lèvres d'Ann.

— Mes talents ? Oh, tu veux dire la sculpture...

Il arqua un sourcil.

— Oui, la sculpture. Bien que tu montres des dons réellement prometteurs dans cet autre domaine… Avec un peu de pratique, tu pourrais devenir réellement brillante. Je serais ravi de te dispenser quelques cours particuliers.

— C'est très gentil à toi, mais je choisis habituellement moi-même mes professeurs, riposta-t-elle malicieusement. Bien… Pour en revenir à notre conversation, le génie, c'est le sculpteur qui a réalisé cette œuvre. Moi, je n'ai fait que la nettoyer et lui rendre vie.

— Et aux rayonnages de la bibliothèque aussi. Dis-moi, tu as travaillé dur… Tu as bien mérité un répit. Serais-tu d'accord pour venir déjeuner en ville avec moi ? Ensuite, je t'emmène faire un tour en avion.

— Quoi ? Non, je déteste voler ! C'est dangereux, ça me fait peur... Franchement, je préfère les déplacements en deux dimensions — aller et retour. La verticale, ce n'est pas pour moi !

— Mais tu n'auras pas peur avec moi. Je suis un as.

— Ce sera pire, au contraire ! Non, sincèrement, mieux vaut éviter ça. Et pour le déjeuner, nous verrons une autre fois.

Pendant ce temps-là, de l'autre côté de la rue, Trey appelait sa mère au téléphone.

— Maman ? J'ai un verre dans lequel il a bu. Mais honnêtement, j'ai vraiment l'impression d'être ridicule.

— Cela pourrait fort bien nous sauver tous, Trey. Apporte-le en faisant attention à ne pas effacer les empreintes. Et n'oublie pas la brosse à dents, quand tu iras chez lui.

*
* *

A l'heure du déjeuner, Trey jeta un coup d'œil au parking, derrière la maison. La voiture de Paul n'était pas là. Parfait. Il sortit et se dirigea vers la maison Delaney. Ann l'accueillit et se proposa de lui faire visiter les lieux.

Il dut reconnaître qu'il était impressionné. Lui qui n'avait jamais vu la maison à son époque glorieuse, il éprouva un curieux sentiment de jalousie à l'idée que c'était cet étranger, cet outsider, qui ressuscitait la demeure familiale.

Ce qui ne serait pas du goût de Sue. C'était elle qui l'avait incité à la mettre immédiatement en vente, après la mort de tante Addy. Mais elle avait tendance à envier ce que possédaient les autres. Lorsqu'elle était en colère, elle n'avait pas son pareil pour lui rendre la vie impossible. Oh, il s'accommodait de l'abstinence sexuelle qu'elle lui imposait alors, mais l'empêcher de s'énerver à tout propos, y compris contre les enfants, c'était une tâche épuisante.

Il commençait à craindre de ne pas pouvoir se débarrasser d'Ann suffisamment longtemps pour faire une incursion dans la salle de bains lorsque, par chance, Buddy la réclama dans la cuisine.

— Ne t'inquiète pas, s'empressa de dire Trey. Je connais mon chemin. Tu n'as pas besoin de jouer les accompagnatrices.

Dès qu'elle eut disparu, il gravit rapidement l'escalier, ouvrit quelques portes, ne sachant quelle salle de bains Paul utilisait. La chambre principale était en chantier, la salle de bains centrale n'était pas en travaux, mais elle paraissait inutilisée. Il se dirigea vers celle du fond, poussa la porte. Bingo ! La brosse à dents était là, placée sur un antique support fixé au mur, à côté d'une armoire à pharmacie non moins ancienne. Il ne lui fallut qu'une seconde pour s'emparer de l'objet, le glisser dans un sachet en plastique et ressortir.

Il n'eut que le temps de redescendre précipitamment. Ann arrivait.

— Alors ? Tu as tout visité ?

Il s'efforça, sans grand succès, de ne pas avoir l'air coupable.

— Oui, c'est merveilleux, merveilleux ! Je suis impatient de voir le résultat final. Bon, excuse-moi… Il faut que je m'en aille.

Il se précipita au-dehors et monta dans son 4x4. A l'abri des oreilles indiscrètes, il composa le numéro de sa mère sur son téléphone portable.

— Ça y est, maman ! Je te l'apporte tout de suite.

La pluie s'étant remise à tomber et Ann ayant décliné son invitation, Paul passa l'après-midi à compulser les archives de la bibliothèque. Il trouva les informations concernant les noces de son père et de Karen Bingham mais, en remontant plus loin, ne découvrit pas trace de l'annonce de leurs fiançailles. Cela n'avait pas été le mariage en grande pompe auquel on pouvait s'attendre de la part d'une famille influente comme les Delaney… Quatre demoiselles d'honneur, un simple brunch arrosé au champagne. Il nota le nom de la journaliste qui avait rédigé l'article. Wilda Mae Hepworth. Il se souvenait avoir lu ce nom récemment dans le journal local. Soit cette femme avait commencé à travailler alors qu'elle était encore à l'école primaire, soit elle avait aujourd'hui un âge canonique. Il alla se renseigner auprès de Vivian, la bibliothécaire.

— Vivian ? Vous connaissez cette Wilda Mae Hepworth ?

Vivian gloussa. Elle avait tendance à glousser et à rougir chaque fois qu'il lui adressait la parole.

— C'est ma grand-tante.

— Et c'est toujours elle qui rédige la rubrique « Société », n'est-ce pas ? Croyez-vous que je pourrais la rencontrer ?

— Oh, certainement ! Elle adore parler ; elle est bavarde comme une pie et elle sait tout sur tout le monde, dans ce comté.

— Cela vous ennuierait-il de l'appeler pour moi, puisque vous êtes parentes ?

Elle s'exécuta de bonne grâce et, vingt minutes plus tard, Paul rangeait sa voiture devant un cottage blanc bien entretenu dont la construction devait dater d'un demi-siècle avant celle de sa maison. Des parterres de jonquilles, de jacinthes pourpres et de toutes sortes d'autres fleurs dont il n'aurait su déterminer l'espèce laissaient présager une explosion multicolore pour les semaines à venir.

Il sonna, s'attendant à voir surgir une frêle vieille dame, vêtue d'une robe à col de dentelle. Mais Wilda Mae devait peser plus lourd que lui, était presque aussi grande et avait apparemment pris la peine d'appliquer une touche de mascara et de rouge à lèvres juste avant son arrivée. Ses cheveux blancs étaient coupés court et laissaient deviner un crâne rose au-dessous. Elle s'appuyait sur une canne à pommeau d'argent représentant une tête de renard.

— Alors, pourquoi voulez-vous remuer la boue concernant les Delaney ? demanda-t-elle à brûle-pourpoint, lorsqu'elle l'eut introduit dans son petit salon.

Il cligna des yeux. Sa voix était aussi formidable que le reste de sa personne. Il se prit à espérer qu'il n'y avait personne dans la maison.

— Ne vous inquiétez pas, poursuivit-elle. Je vis seule. J'ai enterré trois maris et je n'ai pas l'intention de prendre le même chemin qu'eux tout de suite, croyez-moi.

Elle marqua une pause.

— Buvez votre thé et répondez à ma question.

— Bien sûr, madame. Mais… ceci pourrait-il rester entre nous ?

— Mais oui, à moins que vous n'ayez l'intention de commettre un crime, auquel cas je serais forcée de le signaler… Alors ?

— Voilà. En fait, j'aimerais simplement en savoir un peu plus sur la famille dont j'ai racheté la maison. En commençant, peut-être, par le père de Trey.

— Ah… Triste histoire, souligna-t-elle en poussant un soupir si profond que sa poitrine se souleva et s'abaissa, tel un pont basculant. Personne ne l'a soutenu. Pas même Adelina Norwood. Pourtant, elle avait vécu la même chose...

— Adelina Norwood ?

— Mlle Addy. Elles étaient trois sœurs…

— Oh, bien sûr ! Je connais cette partie-là de l'histoire.

— Bien, ponctua Wilda Mae en tapant du plat de la main sur le bras de son fauteuil victorien.

Il remarqua que ses doigts étaient déformés par l'arthrite et se demanda comment elle parvenait encore à écrire. Son regard ne lui échappa pas. Peu de choses devaient lui échapper, d'ailleurs.

— J'ai un ordinateur dans le séjour, expliqua-t-elle. J'écris de chez moi et j'envoie mes articles par télécopie. Il faut vivre avec son temps, n'est-ce pas ?... Donc, Addy était la deuxième des sœurs ; Sarah, la cadette, est la seule qui soit encore en vie aujourd'hui. Elle a eu le bon sens d'épouser Harris Pulliam et de se détacher de ses sœurs. Vous avez déjà rencontré Ann ?

— Oui, elle participe à la rénovation de ma maison.

Il n'aurait su dire avec précision quand le glissement s'était opéré, mais la « demeure Delaney » était peu à peu devenue, sans qu'il en ait vraiment conscience, *sa* maison.

— Une gentille petite, Ann. Et bourrée de talent. Elle n'aurait jamais dû épouser ce Corrigan. Il l'a saignée à blanc et trompée avec tout ce qui portait jupon. Elle mérite mieux. Un homme qui l'aime, qui lui donne une grande famille.

Elle le scruta, les paupières plissées.

Ne sachant que répondre à cela, il opta pour le silence.

— Quand Conrad — le père de David — est mort, Maribelle a eu du mal à se remettre. Elle l'aimait, Dieu seul sait pourquoi. Conrad ne jurait que par l'autorité. Il pensait que sa parole faisait loi. Ce qui n'était pas le cas, bien sûr ; c'était Maribelle qui commandait, en vérité, mais il ne s'en est jamais rendu compte. Un beau jour, il a décidé qu'il était temps que son fils rentre de Paris et épouse celle avec qui il était fiancé depuis trois ans. A eux trois — Maribelle, la mère de Karen et lui —, ils ont réussi à obliger ce pauvre garçon à se plier à leur volonté.

Elle agita une main devant elle.

— Il y a eu quelques tractations juridiques autour du mariage.

Paul dressa subitement l'oreille.

— Mais je n'ai jamais pu savoir exactement de quoi il retournait, acheva-t-elle avec une moue dépitée. Cela s'est fait sous le manteau. Quoi qu'il en soit, elles n'ont pas abouti, puisque le juge Dalkins est mort dans un accident de voiture et que Conrad a eu son attaque, juste à ce moment-là. Mais je déteste l'idée de ne pas savoir de quoi il retournait.

Il la crut sans peine.

— Parlez-moi du mariage.

— Il n'y a pas grand-chose à en dire. Ce n'était pas un grand mariage. J'ai dû faire jouer mes relations pour être invitée. Karen avait l'air radieuse, comme toutes les mariées, mais David, lui…

Elle marqua une pause.

— Il faisait peine à voir, le pauvre. Tout le monde a pensé que les choses avaient été précipitées parce que Karen était enceinte.

Elle lui décocha un sourire malicieux.

— Vous n'imaginez pas le nombre de bébés prématurés que nous avons par ici ! Mais ce n'était pas ça. Trey est né onze mois plus tard.

Wilda avala sa dernière gorgée de thé.

— Jeune homme, je suis ravie d'avoir fait votre connaissance, mais j'ai un article à terminer pour 6 heures et je n'ai pas encore écrit une ligne. Revenez me voir. Je vous raconterai d'autres secrets de famille… Sur Conrad et Addy, par exemple.

— Je vous demande pardon ?

— Ils étaient amants. Au nez et à la barbe de Maribelle, dans sa propre maison. Tout le monde était au courant, sauf elle.

Elle réussit à s'extraire péniblement de son fauteuil.

— J'ai aiguisé votre curiosité, non ?

— Je dois dire que oui, madame.

— Tant mieux. Comme ça, vous vous sentirez obligé de revenir. Ce n'est pas si souvent que j'ai le plaisir de bavarder avec un beau jeune homme comme vous.

Paul reprit le chemin du retour en se disant que plus il en apprenait, moins les choses se clarifiaient. Tout ce qu'il savait de façon certaine, c'était que son père était très malheureux, le jour de son mariage avec Karen. Sans doute parce qu'il avait conscience de devenir bigame. Il avait dû passer le restant de ses jours à redouter que Michelle ne surgisse dans sa vie. Pas étonnant qu'il ait perdu son sang-froid lorsque cela s'était produit.

10.

Paul acheta une pizza et un pack de bières en chemin et mangea son dîner solitaire sous la véranda arrière, à l'étage, dans la pénombre du jour déclinant.

Cet endroit lui plaisait de plus en plus. Il avait l'impression qu'un tigre était susceptible d'émerger de la jungle, à ses pieds, à tout moment. Son repas terminé, il appela Giselle.

— Ton père a dû perdre la tête en voyant Michelle, conclut sa cousine lorsqu'il lui eut relaté les derniers développements de son enquête.

— S'il n'avait pas caché son corps, il s'en serait probablement tiré avec deux ans de prison ferme pour crime passionnel. Peut-être même seulement une peine de sursis.

— Du sursis ? Pour un crime ? Tu n'es pas sérieux ?

— Très sérieux, si, compte tenu de l'époque à laquelle cela s'est produit et de ce que je sais de cette famille.

— Rentre à la maison, Paul. A t'écouter, j'ai l'impression que tu es plongé dans une espèce d'épopée gothique dans le grand Sud.

— C'est l'impression que j'ai, parfois. Mais tu sais, ce n'est pas désagréable. J'aime bien ces gens. Malgré mes préventions, je commence même à me découvrir un semblant de sympathie pour mon demi-frère. Je n'en dirais pas autant de sa mère. A côté d'elle, tante Helaine était un ange de douceur. Une vraie colombe.

Giselle se mit à rire.

— Ça, j'ai peine à le croire.

A peine avait-il raccroché que l'appareil sonna. Il reprit le combiné.

— C'est Ann.

Le cœur de Paul tressauta dans sa poitrine.

— Bonsoir, Ann.

— Trey m'a laissé un interminable listing informatique cet après-midi. J'ai oublié de te le donner. Puis-je te l'apporter ?

— Ne bouge pas. Je viens le chercher.

Il raccrocha avant qu'elle ait eu le temps de protester.

Il se rua vers la porte d'entrée, songeant à se munir d'une lampe de poche en chemin. Dans la rue, il sauta dans les flaques d'eau comme un enfant. Deux baisers, et voilà que lui, le sophistiqué M. Bouvet, se comportait comme un adolescent attardé. Il gravit quatre à quatre l'escalier et frappa à la porte, hors d'haleine.

— C'est ouvert.

Ce fut Dante qui lui tint lieu de comité d'accueil. Son corps entier remuait pour manifester la joie de le revoir.

— Je suis dans l'atelier ! lança Ann. C'est délicat... Je ne peux pas m'interrompre.

Il se posta derrière elle et la regarda travailler. Elle portait une paire de gants épais et versait un liquide gris visqueux dans un moule en plâtre de deux mètres de long. Elle ne leva pas les yeux.

— De quoi s'agit-il ? demanda-t-il lorsque la délicate opération fut terminée.

— Je recrée le moulage d'un fronton pour remplacer les parties qui sont détériorées sur celui de ta salle à manger. Le mélange doit être dosé et versé avec une grande précision, sinon il ne remplit pas toutes les fissures.

— C'est à Washington que tu as appris ces techniques ?

— Oui. Et j'ai peaufiné mon apprentissage à New York avec des gens si merveilleux qu'ils me donnaient l'impression d'être empruntée. Je collabore toujours avec les deux cabinets pour lesquels je travaillais à plein temps.

Elle ôta ses gants.

— Désolée pour le document de Trey. J'ai préféré le rapporter à la maison, pour le cas où l'équipe du chantier aurait décidé de s'en servir pour nettoyer des pinceaux !

— Tu as bien fait. Cela m'a fourni un prétexte pour venir.

— Tu avais disparu ? Tu ne pouvais pourtant pas voler, par ce temps, j'imagine ?

— Non. Je poursuivais mes recherches, à la bibliothèque.

— Un jour, il faudra que tu me dises sur quoi elles portent.

Elle ne l'avait pas invité à s'asseoir, aussi dansait-il d'un pied sur l'autre, le listing à la main.

— Tu veux boire quelque chose ?

— Un peu de ce vin blanc, si tu en as.

Elle remplit deux verres et s'assit sur le canapé. Il prit place dans le fauteuil. Ils burent en silence.

— Alors, tu vas racheter ce chandelier ? s'enquit-elle finalement.

— Tout dépendra du prix que ses acquéreurs l'ont payé.

Ils trempèrent de nouveau leurs lèvres dans le vin blanc.

Il mourait d'envie de lui avouer la vérité, de lui parler de son enquête, de lui expliquer qu'il ne voulait pas les blesser, elle et sa famille, mais que les circonstances pourraient l'y contraindre.

Ils se mirent à parler en même temps.

— Toi d'abord.

— Ma mère souhaiterait t'inviter à dîner dimanche chez ma grand-mère.

— Oh, ce sera volontiers. C'est très gentil.

— J'ai pensé que nous pourrions rendre visite à Mlle Esther ensuite.

— Mlle Esther… L'ancienne gouvernante des Delaney, c'est bien ça ?

— Oui. Ses enfants vivent loin ; elle sera ravie de te recevoir.

— Es-tu toujours d'accord pour m'y accompagner ?

— Oh, je ne pense pas qu'elle te laisserait entrer si je ne venais pas ! Pour le dîner chez ma grand-mère, c'est à la campagne. Tu ne trouveras jamais tout seul. Passe me chercher ; je ferai office de copilote.

Il n'était pas encore habitué à cette coutume locale qui consistait à appeler « dîner » le repas de midi et « souper » celui du soir.

— Moi aussi, j'ai une invitation à te transmettre. De la part de Trey. Il nous invite, toi et moi, mercredi soir.

Il la sentit hésitante.

— Alors ? Que dois-je lui dire ?

— Eh bien… d'accord.

Il y eut une nouvelle hésitation.

— Paul... Je dois te prévenir : face à ma mère, dimanche, tu seras comme sous le viseur d'un microscope.

— Pourquoi cela ?

— Parce que ma mère teste tous les hommes « disponibles », au cas où l'un d'eux… pourrait constituer un gendre convenable. Je suis navrée. Il fallait que je t'avertisse.

Il se mit à rire.

— Ma tante Helaine soumettait le moindre adolescent boutonneux qu'elle voyait en compagnie d'une de mes sœurs à un interrogatoire en règle. Ça ne pourra pas être pire !

— Je ne savais pas que tu avais des sœurs.

— Deux cousines, en fait. Mais tante Helaine nous a élevés tous les trois. Giselle a quatre ans de plus que moi et Gabrielle, deux.

— Vous êtes proches ?

— Giselle et moi, oui. Avec Gabrielle, ça a toujours été un peu difficile. Elle m'en a voulu d'avoir dû me céder sa chambre et d'avoir emménagé avec sa sœur quand je suis arrivé.

— De France ?

— Non. Chez ma tante.

— Qu'est-il arrivé à tes parents ?

— Ma mère… est morte. Et mon père…

Il laissa sa phrase en suspens. Elle déduirait qu'il était parti.

— Et étais-tu heureux chez ta tante ?

— Oui. Oncle Charlie et elle ont été merveilleux. Il m'a appris à jouer au base-ball et au basket-ball. Tante Helaine m'a appris… beaucoup de choses. A parler français — c'est d'ailleurs la première langue que j'ai apprise —, à cuisiner. Selon elle, c'étaient les hommes qui faisaient les meilleurs chefs.

— Elle voulait que tu deviennes un grand cuisinier ?

— Peut-être, mais j'ai toujours rêvé de devenir pilote. Nous vivions dans le Queens, nous n'avions pas beaucoup d'argent, mais je me suis débrouillé pour pouvoir continuer mes études. Et depuis, je n'ai jamais cessé de voler. Enfin… jusqu'à ce… problème.

Il désigna son bras droit.

— Mais je préfère ne pas m'étendre là-dessus. Parle-moi plutôt de toi.

— Oh, il n'y a rien de très excitant à raconter. J'ai passé une maîtrise d'histoire de l'art. Ensuite, je suis partie avec un garçon qui avait de grands rêves, mais aucune discipline. J'ai supporté six ans d'infidélités et, quand je n'ai plus pu tolérer ça, je l'ai quitté et je suis rentrée à la maison pour panser mes plaies.

— Cet homme devait être fou, pour te tromper !

— Il aurait trompé Cléopâtre ! La différence entre elle et moi, c'est qu'elle aurait eu le bon sens de lui trancher la gorge ! Ce que j'aurais dû faire. Mais j'ai préféré quitter New York, un travail que j'adorais, des amis que j'adorais. Une ville très excitante.

— Tu n'avais pas besoin de partir. Un divorce n'est pas forcément synonyme de déracinement total.

— Non, mais je suis une fille de la campagne. Et puis, j'apprécie un certain confort. Quand j'accepte un travail dans une grande ville, je vis à l'hôtel, tous frais payés. Mais le reste du temps, il est moins coûteux de vivre loin de la ville. Et toi, où habitais-tu, avant ?

— Dans un appartement, dans le New Jersey.

Il posa son verre sur la table et poussa un profond soupir.

— Ecoute, je ne sais pas quelle erreur j'ai pu commettre, ce qui t'a contrariée, mais j'aimerais vraiment que tu me le dises pour que je puisse arranger les choses. Nous sommes là, à discuter comme deux étrangers, alors que je meurs d'envie de te serrer dans mes bras...

Elle bondit sur ses pieds et posa son verre sur le bar de la cuisine.

— Tu n'as rien fait. C'est moi. Quand je pose les yeux sur toi, je ne peux m'empêcher de me demander pourquoi…

enfin, ce que tu peux bien trouver à une fille du Sud profond, comme moi.

En un éclair, il était derrière Ann et refermait ses bras autour d'elle. Il la fit pivoter vers lui sans la relâcher et l'étreignit si fort que les mains d'Ann appuyèrent contre son torse.

— Que t'a fait ce type avec lequel tu étais mariée ? Tu es la plus belle, la plus désirable des…

— Stop.

Il l'embrassa. Farouchement, d'abord, pour capturer ses lèvres. Puis il laissa tendrement errer sa bouche contre la sienne, savourant encore l'arôme du vin blanc, mordillant la pulpe de cette lèvre inférieure si sensuelle, embrassant ses yeux, laissant glisser sa bouche le long de sa mâchoire, puis plus bas, dans son cou.

L'esprit comme embrumé, Ann songea vaguement qu'elle n'aurait pas dû l'embrasser. Elle s'était promis de le tenir à distance. Mais elle n'avait pas permis à un homme de la prendre dans ses bras depuis si longtemps…

Personne ne l'avait jamais embrassée ainsi. Elle sentait tout son être résonner, s'éveiller au plaisir, jusque dans ses moindres fibres. Lorsqu'elle répondit à son baiser, ce fut comme si elle avait été complètement déshydratée, et qu'il avait ouvert des vannes qui l'inondaient brutalement de sensations et de désirs depuis longtemps oubliés. Elle ne se souvenait plus du moment où elle s'était rendu compte qu'il l'attirait, mais cela n'avait plus d'importance.

Elle passa ses bras autour de lui, blottit son corps contre le sien, sentit ses mains descendre le long de la courbe de ses hanches, l'attirer plus près. Il était excité.

Comme elle l'était elle-même. Lorsqu'il glissa la main sous sa chemise et dégrafa son soutien-gorge, elle retint un gémissement. La libérant de la chemise, il caressa les pointes érigées de ses seins d'un doigt aussi léger qu'un flocon de neige et elle arqua les reins, les yeux clos, s'abandonnant au plaisir de ses effleurements.

Elle lui retira sa chemise et souda le haut de son corps nu au sien. Trop tard pour reculer, trop tard pour empêcher l'inévitable de se produire.

Mais elle n'en avait cure. Elle ne voulait pas s'arrêter. D'une main experte, il ouvrit la fermeture Eclair de son jean et le fit glisser le long de ses hanches, promenant au fur et à mesure ses lèvres sur sa peau. Puis il s'inclina pour la soulever dans ses bras.

Elle l'entendit retenir son souffle.

— Viens, murmura-t-elle en achevant de se dégager de son jean. Viens...

Elle s'étendit sur le lit, l'entraînant avec elle. Un genou sur le bord du lit, il ôta rapidement son pantalon et tira un préservatif de sa poche.

Ann le contemplait, le souffle court. Il était si beau, dans la lumière pâle. Il se pencha de nouveau vers elle et la débarrassa de la dernière barrière de tissu qui les séparait.

Oh, comme elle le désirait ! Maintenant, tout de suite. Elle ne put que murmurer :

— S'il te plaît, s'il te plaît...

Le temps qu'il les protège, il était déjà lové contre elle, poussé par la même urgence.

Elle perdit toute conscience du temps, de son corps, de son esprit, jusqu'à ce qu'elle n'éprouve plus que la joie de sentir sa présence en elle, de calquer le rythme de ses hanches sur le sien, avec une fièvre toujours grandissante. Elle entendit un gémissement s'exhaler de sa bouche et il l'entraîna de l'autre côté dans un tourbillon de sensations si fulgurantes qu'elles confinaient à la torture —une délicieuse torture.

Un instant plus tard, elle le sentit se joindre à elle dans un ultime spasme.

Lorsque le rythme de sa respiration s'apaisa, elle continua à le garder serré dans l'enveloppe de ses bras, comme si elle avait voulu qu'il y reste pour toujours.

Finalement, il se laissa glisser sur le côté et l'attira contre lui. Elle joua avec les boucles sombres de la toison qui couvrait sa poitrine et songea, l'espace d'une seconde, au peu de choses qu'elle savait de lui. Mais peu lui importait, pour le moment. Tout ce qui comptait, c'était qu'il soit là, à son côté. Ce fut sa dernière pensée consciente avant de sombrer dans le sommeil.

Lorsqu'elle s'éveilla, son bras glissé sous les épaules de Paul était complètement engourdi. Elle se dégagea doucement, puis se hissa silencieusement sur un coude pour l'observer.

Pour la première fois, elle vit les cicatrices sur son épaule et le haut de son bras. Des traits rectilignes, nets. Les traces laissées par la chirurgie. Les minces lignes blanches disparaissaient dans son dos, semblant encercler totalement son épaule. Quoi qu'il lui soit arrivé, les os de son articulation avaient dû être broyés. Elle se mordit la lèvre, emplie de compassion.

Elle se pencha pour effleurer sa joue doucement, sans le réveiller. Elle était si impatiente de tout savoir de lui.

Il remua, laissa échapper un sourire et se tourna vers elle sans ouvrir les yeux. Ann se blottit contre lui et s'autorisa à se rendormir. Pour la première fois depuis bien longtemps, elle se sentait apaisée, pleinement satisfaite.

Ses yeux s'écarquillèrent subitement. Dante ! Elle l'avait complètement oublié depuis que toutes ses pensées s'étaient concentrées sur Paul... L'heure de sa promenade était largement dépassée.

Quittant à regret la chaleur du corps de Paul, elle se glissa hors du lit et sortit de la chambre. Dante était assis devant la porte d'entrée, une expression perplexe dans son regard tombant. Il ne s'avança même pas vers elle. Il devait avoir désespérément besoin de sortir.

Elle enfila en toute hâte un jean et un T-shirt sans sous-vêtements, chaussa une paire de bottes en caoutchouc qu'elle gardait près de l'entrée et ouvrit la porte.

Dante se rua à l'extérieur, dévala les marches et se dirigea droit vers les buissons, de l'autre côté de l'allée. Elle laissa la porte entrouverte et le suivit, armée de sa lampe de poche.

L'air de la nuit était frais. Elle frissonna, espérant que Dante ne s'attarderait pas longtemps.

Elle descendait lentement l'allée lorsque le faisceau des phares d'une voiture illumina l'extrémité du passage. Une voiture de patrouille.

« Oh, non... Pourvu qu'elle ne s'arrête pas », pria-t-elle.

Peine perdue. Un instant plus tard, elle entendait claquer une portière et Buddy apparaissait, les pouces coincés dans son ceinturon.

— Tiens ! Tu es là, chérie ?

— Bonsoir, papa. Dante avait besoin de sortir.

Parfois, lorsqu'il voyait de la lumière dans son atelier, son père faisait halte pour monter boire un thé ou un chocolat chaud avec elle. Ce qui était impensable ce soir.

— Allons, Dante, dépêche-toi, appela-t-elle à mi-voix.

Elle dansa d'un pied sur l'autre, devinant que son père attendait qu'elle l'invite.

— Je t'aurais volontiers proposé de monter, papa, mais je tombe de fatigue. Je vais aller droit au lit, dès que Dante en aura terminé.

— Pas de problème, chérie. Tu as besoin de repos.

Mais elle devina qu'il était déçu.

Elle attrapa Dante par son collier.

— Désolée, papa. Au revoir.

Elle s'éloigna, se retourna pour lui adresser un petit signe, une fois parvenue sur son palier, et rabattit fermement la porte.

Ôtant ses bottes et ses vêtements, elle se dirigea sur la pointe des pieds vers le lit et se coula avec délice à l'intérieur.

— Bon sang... Tu es gelée.

— J'ai dû sortir Dante.

— Mais ce n'est pas à lui que tu parlais de cette façon.

— Oh, mais comme vous avez de grandes oreilles, grand-mère ! répliqua-t-elle facétieusement. Non... C'était à mon père. Il espérait une invitation à venir boire un chocolat.

Paul se laissa retomber en arrière.

— Il me tuerait s'il savait que j'étais ici !

Elle se pencha vers lui.

— Non, il te traînerait plutôt hors de la ville, attaché au bout d'une corde à sa voiture de patrouille ! Il paraît que c'est très inconfortable.

Ils chahutèrent quelques instants, puis ils s'immobilisèrent. Leurs regards se rivèrent l'un à l'autre.

Cette fois, ils firent l'amour sans hâte, en prenant tout leur temps.

Dans les instants de douce félicité qui suivirent leurs ébats, Paul murmura d'une voix ensommeillée :

— Il vaudrait mieux que je m'en aille. Je suppose que tu n'as pas envie que tout Rossiter me voie traverser le square à 7 heures du matin.

— Oh ? Tu t'inquiètes de ma réputation ?

— Et de la mienne.

— Oh, la tienne s'en trouverait largement améliorée.

— Je ferai graver ça en épitaphe, sur ma tombe, quand ton père m'aura tiré dessus, souligna-t-il.

Il déposa un baiser sur ses lèvres et s'écarta d'elle.

— J'aimerais rester, mais il est vraiment préférable que je me faufile jusqu'à chez moi, furtivement, comme un rôdeur, en espérant que la patrouille de ton père ne repassera pas par ici au mauvais moment. Bonne fin de nuit, jolie fille du Sud profond, souffla-t-il en se penchant une dernière fois vers elle.

Quelques instants plus tard, elle entendait la porte d'entrée se refermer.

Elle s'étira langoureusement dans son lit. C'était incroyable, la différence qu'il pouvait y avoir entre l'amour physique, quand seul l'aspect charnel était en jeu, et l'amour tout court.

Ses yeux s'ouvrirent tout grands. Non. Pas de l'amour. Pas avec Paul Bouvet. C'était un homme sans racines. Rien ne le retenait à Rossiter. Elle soupçonnait depuis quelque temps qu'il avait des motivations cachées. Des motivations dont elle ne savait rien.

11.

Ann ne vit pas Paul le lendemain, mais elle pensa à lui à chaque minute, et travailla pendant toute la journée avec un sourire stupide plaqué sur les lèvres.

En rentrant chez elle, elle trouva, devant sa porte, une boîte très chic portant l'étiquette d'un fleuriste de Memphis. Douze roses de teinte pêche étaient joliment disposées à l'intérieur.

— Au moins est-il suffisamment imaginatif pour ne pas avoir choisi des roses rouges, nota-t-elle à l'adresse de Dante.

Elle lut la carte qui les accompagnait.

« J'ai d'abord pensé à acheter ces fleurs chez ton voisin, le fleuriste d'en bas, mais je me suis dit que cela risquait d'éveiller quelques soupçons. Baisers, Paul »

Elle posa les yeux sur Dante, qui la contemplait.

— Eh bien, quoi, Dante ? Il ne parle pas d'amour, que je sache ! Ce qui ne m'aurait pas déplu, je crois. Non… C'est simplement le genre de mot qu'un homme comme Paul envoie à une femme le lendemain de leur première nuit commune.

Elle décida que le plâtre du fronton devait avoir suffisamment pris et s'appliqua, pendant les deux heures qui suivirent, à le démouler et à en corriger les petites imperfections, tâche qui réclamait suffisamment de concentration pour empêcher Paul d'accaparer ses pensées.

Ensuite, elle téléphona à sa mère et s'invita à dîner. Elle ne se sentait pas capable de rester chez elle, à guetter le pas de Paul dans l'escalier. Elle avait passé une merveilleuse nuit avec lui, point. Cela ne constituait pas un engagement de sa part.

Qu'une seconde nuit vienne s'ajouter à la première, et elle savait qu'elle serait perdue pour toujours. Elle qui s'était juré de ne plus se fourvoyer dans des équations amoureuses improbables avec des apollons. Des équations qui comportaient trop de variables, trop de risques. Et voilà qu'elle se commettait avec un homme qui incarnait précisément tout cela !

Fort bien. Elle laisserait sa mère mener son enquête, lors du dîner dominical.

Les mains tremblantes, Karen Lowrance ouvrit l'enveloppe que lui avait fait parvenir le détective privé que Trey avait engagé.

Elle lut rapidement. D'après le rapport, Paul Bouvet était le fils d'une certaine Michelle Bouvet, de nationalité française. Né de père inconnu, Paul jouissait de la double nationalité lorsqu'il était arrivé avec sa mère aux Etats-Unis, ce qui impliquait que son père devait être américain. Le détective n'avait pu localiser l'endroit où Paul Bouvet était né, en France, et n'avait donc pu obtenir l'acte de naissance sur lequel figurait le nom du père.

— Bon sang, j'aurais dû lui dire de chercher à Paris ! marmonna Karen en se servant un autre verre de bourbon, qu'elle posa sur la petite table, à côté d'elle, sans y toucher.

Elle devait garder les idées claires pour décider de la conduite à tenir.

Le rapport lui apprit encore que Paul avait été élevé, après la disparition de sa mère survenue alors qu'il avait six ans, par sa tante Helaine et son mari américain, Charles Humber.

Sept années plus tard, ces derniers l'avaient déclarée morte afin de pouvoir adopter légalement Paul.

Karen passa rapidement sur ses études et son service dans l'armée de l'Air, mais son attention fut captée par une phrase indiquant qu'il avait été blessé lors d'un incident survenu dans un avion ; il ne pouvait plus exercer en tant que pilote de ligne, mais avait conservé sa licence de pilote professionnel.

Il possédait une maison à Rossiter, qui était en cours de rénovation, une BMW gris métallisé presque neuve et un Cessna 182 actuellement entreposé à l'aérodrome Morrisson.

Elle mordilla l'extrémité d'un de ses ongles. Lorsqu'il cassa avec un bruit sec, elle laissa échapper un juron.

— Bien. Ecoute, maman, j'ai patienté assez longtemps... Il faut que tu me dises de quoi il retourne, maintenant. Pourquoi ce type t'intéresse-t-il tant ?

Les résultats de l'analyse d'ADN ne lui étaient pas encore parvenus, mais il y avait quatre-vingt-dix-neuf chances sur cent pour que ce Paul Bouvet soit bien le fils naturel de son mari. Les dates concordaient. Il avait dû être conçu juste avant que David ne rentre à Rossiter et l'épouse.

Trey était un fils attentionné, un père et un mari aimant. Il était même un assez bon homme d'affaires, tant qu'il s'en tenait au bétail, au coton et au soja.

Sorti de son domaine de compétence, il n'était pas bon à grand-chose. Le fait d'avoir grandi dans un cocon familial très privilégié l'avait laissé démuni face au monde réel. Jusqu'à ce jour, le plus grand défi qu'il ait jamais eu à relever avait consisté à maintenir une moyenne de notes suffisante, à l'Université, pour ne pas déchoir vis-à-vis de ses camarades de promotion. Et encore n'y était-il parvenu qu'à grand-peine.

Il existait encore une infime possibilité pour qu'elle se trompe. Si elle mettait Trey dans la confidence maintenant, il risquait de commettre un acte réellement stupide ou d'ouvrir les bras à ce nouveau « frère » qui lui était littéralement tombé du ciel.

Elle ne pouvait permettre ni l'un ni l'autre. Elle décida donc d'attendre les résultats des tests d'ADN.

— Ce rapport ne vaut pas grand-chose, dit Karen en posant les feuillets sur la table.

— Enfin, maman, tu m'as entraîné dans cette histoire sans que je sois au courant de rien. Papa avait-il des dettes ? Est-ce que c'est un problème fiscal ? Non, l'administration s'en serait souciée plus tôt... De l'argent qu'il aurait emprunté au milieu ?

— Ne sois donc pas ridicule.

— Je ne le suis pas plus que toi. Et cette histoire de brosse à dents ?

— Trey, il va falloir que tu me fasses confiance pendant quelques jours encore. Je mène mon enquête de mon côté.

— Ce type… C'est un ennemi de la famille ?

Il touchait d'un peu trop près à la vérité, au goût de Karen.

— Très bien, déclara-t-elle. Il s'agit d'une affaire concernant ton père qui pourrait avoir de lourdes répercussions financières, mais aussi provoquer un scandale qui éclabousserait toute la famille.

— Mais pourquoi cela aurait-il une incidence, aujourd'hui ? Après tout ce temps ?

— Je ne sais pas. C'est la seule chose qui me laisse espérer que je fais peut-être fausse route. Pourquoi avoir attendu si longtemps ?

— Je te donne vingt-quatre heures. Ensuite, il faudra m'expliquer.

— J'ai besoin d'une semaine.

— Maman !

— Une semaine, Trey. Ensuite, soit les choses seront rentrées dans l'ordre, soit il faudra nous organiser pour nous débarrasser de ce type.

— Je ne t'ai jamais entendu parler comme ça, maman, proféra Trey d'une voix qui s'était élevée dangereusement. On dirait que tu envisages de tuer cet homme.

— Voyons, ne sois pas stupide.

Elle enfouit son visage dans ses mains.

— C'est la première fois de ma vie que je voudrais voir une personne disparaître de la surface de la terre ! Au plus vite.

Elle releva les yeux et rit nerveusement en voyant l'expression interdite de Trey.

— Oh, ne fais pas attention, mon chéri... Je me laisse emporter, voilà tout. Attendons d'en savoir plus. Je promets de trouver le moyen de nous débarrasser de lui, ensuite. Peut-être que s'il était dans le plâtre pendant un mois ou deux…

Elle laissa entendre un nouveau petit rire bref.

— Je tâcherai d'en apprendre davantage lorsqu'il viendra manger, mercredi soir.

Karen se redressa d'un coup sur son siège.

— Comment ? Tu l'as invité chez toi ?

— Oui… Tu m'as demandé de lier connaissance avec lui.

Elle sentit une douleur sourde l'élancer dans les tempes.

— Bien. Ecoute, j'ai mal à la tête, dit-elle en fermant les yeux. Rentre chez toi, mais sois prudent, mercredi soir, d'accord ?

Elle eut vaguement conscience que Trey murmurait, en quittant la pièce :

— Ne t'inquiète pas, maman. Je vais tout arranger.

Comme il tirait la porte derrière lui, elle murmura :

— Mon Dieu ! *Michelle...* Lire ce nom après toutes ces années...

Ann était en train d'affiner l'ajustement de la dernière partie du moulage dans la salle à manger, lorsqu'elle entendit le moteur de la voiture de Paul.

Une demi-douzaine d'ouvriers allaient et venaient dans la maison. De plus, il n'y avait pas de rideaux. Aussi espérait-elle qu'il ne lui viendrait pas à l'idée de l'embrasser ou de la prendre dans ses bras. La lime dérapa, arrachant un petit éclat de plâtre.

— Zut !

La voix de Paul retentit soudain derrière elle. Son corps se tendit, mais elle ne se retourna pas.

— Bonjour.

— Bonjour. Tu as fini l'épandage pour aujourd'hui ?

— Oui.

Son pas se rapprocha, mais elle entendit aussi celui d'un ouvrier descendant l'escalier.

Elle regarda vivement par-dessus son épaule, lui adressant un petit signe de dénégation. Il haussa les sourcils, mais comprit le message.

Beaucoup trop près d'elle, il dit doucement :

— Comme les restaurants n'abondent pas à Rossiter, j'ai pensé t'inviter à un petit pique-nique, sous ma véranda. Quelque chose de très simple... Du vin, du pâté et du pain français... Et ne me dis pas que tu n'as pas le temps.

Prise de court, elle hocha la tête.

— D'accord.

— Parfait. J'ai acheté une table et des chaises en fer forgé. Pendant que j'installe tout ça là-haut, tu auras le temps de rentrer chez toi pour te débarbouiller.

— Sous-entendrais-tu que je suis sale ?

Il écarta les bras en riant.

— Loin de moi cette idée ! Tu as juste du plâtre sur le nez, sur la joue et dans les cheveux.

— Oh ! C'est du stuc. Viens voir dans le hall.

Elle l'entraîna à sa suite.

— Etonnant, vraiment ! s'exclama-t-il en s'approchant pour scruter de plus près l'enduit habilement restauré. Je suis incapable de déterminer les parties que tu as refaites.

— Une fois que j'aurai appliqué la cire, ce sera magnifique ! claironna-t-elle avec satisfaction. Oh, je suis vraiment contente de moi...

— Et modeste, avec ça !

Il esquissa un geste dans sa direction, lorsqu'un peintre arriva, une échelle à la main.

— Oh, Cal ! lança Ann en reculant vivement. Pourrais-tu aider Paul à transporter du matériel à l'étage ?

— Bien sûr. Allons-y.

Ann le regarda sortir et sourit à Paul.

— Et voilà. Je vais rentrer, maintenant... Je finirai le moulage demain matin, quand il fera plus clair. A tout à l'heure.

Une fois son salon d'extérieur assemblé sous sa véranda, il changea rapidement les draps de son matelas et plaça le vin dans le petit réfrigérateur qu'il avait acheté, en même temps qu'un four à micro-ondes, le deuxième jour de son installation dans la maison.

Il venait juste de placer au centre de la table l'unique rose pêche qu'il avait conservée du bouquet lorsqu'il entendit la porte de derrière s'ouvrir et la voix d'Ann l'appeler.

Il se dirigea vers le palier.

— Monte, je suis en haut.

Elle était fraîche et pimpante, dans une sorte de jupe portefeuille à petites fleurs, surmontée d'un chemisier à boutons de nacre. Elle ne semblait pas porter de soutien-gorge. Son pouls s'accéléra.

L'autre aménagement qu'il avait apporté à son campement ajoutait, ce soir, une touche d'intimité au décor : il avait habillé de persiennes la grande fenêtre qui ouvrait au nord pour pouvoir se changer, le matin, à l'abri des regards des passants.

Ce soir, elles étaient fermées et la seule lumière provenait des bougies qu'il avait allumées. Elle se dirigea vers la véranda.

— Paul, c'est très joli. On dirait une maison dans un arbre.

Il s'avança derrière elle, passa ses bras autour de sa taille et enfouit son visage dans son cou.

— Tu sens bon.

— Merci pour les roses.

Il la fit pivoter vers lui et l'embrassa doucement.

— Tu mériterais d'en recevoir tous les jours.

Derrière lui, il entendit Dante se laisser tomber lourdement sur le sol en poussant un profond soupir, l'air de signifier : « Oh, non... Encore ! »

La soirée fut aussi parfaite que Paul l'avait espéré. Il s'était juré de ne pas évoquer les Delaney ni Rossiter. Ils parlèrent musique, théâtre et restauration d'objets d'art. Ils sirotèrent du vin tout en dégustant le délicieux pâté, descendirent Dante pour sa promenade vespérale, remontèrent, burent un dernier verre puis, d'un accord tacite, ôtèrent leurs vêtements et firent divinement l'amour.

Bien plus tard, Paul, couché sur le dos, les yeux grands ouverts, se prit à souhaiter achever chacune des journées de sa vie ainsi, Ann tendrement lovée contre lui, le subtil parfum de ses cheveux s'exhalant jusqu'à ses narines.

Peut-être était-ce encore possible ? S'il abandonnait son enquête immédiatement. Pourquoi ne pas simplement achever les travaux de sa maison, s'y installer, et même racheter le terrain d'aviation de Hack ?

Et tout oublier.

Il avait bien passé trente ans de sa vie sans savoir, persuadé qu'il n'apprendrait jamais la vérité. Jusqu'au jour où Giselle avait découvert, dans le placard de sa mère, le rapport du détective privé qu'oncle Charlie avait engagé.

Il ferma les yeux. On ne changeait pas le passé. Il ne pouvait feindre l'ignorance.

Oh, il ne voulait plus, aujourd'hui, humilier les Delaney en dévoilant sur la place publique les scandales de la famille. Ni même s'emparer de leurs biens pour les leur restituer ensuite.

Ce qu'il voulait, c'était Ann. Sa cousine au deuxième degré.

Ce lien de parenté… Elle avait le droit d'être au courant.

Mais lui parler, c'était avouer qu'il l'avait dupée, et nul doute qu'elle le quitterait en apprenant cela.

— Cette fois, c'est moi qui vais devoir m'éclipser comme une voleuse, murmura Ann à son oreille.

— Non, ne pars pas.

— Si, il le faut. Demain, c'est dimanche. Tu es invité chez grand-mère, souviens-toi. Alors, embrasse-moi et laisse-moi rejoindre mon lit solitaire.

— Bon, mais seulement si tu acceptes de venir en promenade dans les airs avec moi, demain après-midi.

Avant même qu'elle ne réponde, il devina sa réticence à son imperceptible sursaut.

— Oh, Paul…

— S'il te plaît. J'aimerais te faire découvrir mon univers.

— Est-ce que… tu me promets de ne rien tenter d'extravagant ?

— Promis. Et nous atterrirons dès que tu voudras.

— Alors, peut-être, dans ce cas…

Paul était impressionné par les quantités de nourriture qui étaient proposées.

Il avait appris à mieux connaître Ann et ses parents. Nancy Jenkins était institutrice, adorait les chevaux et les vieilles pierres, avait épousé Buddy Jenkins et n'avait jamais vécu ailleurs qu'à Rossiter.

Buddy, originaire de l'Arkansas, était venu à Rossiter à sa sortie de l'armée et il était tombé amoureux de la petite Nancy Pulliam, maîtresse d'école. Au lieu de déménager pour une grande ville et un travail offrant plus de responsabilités, il s'était établi ici et avait commencé à travailler en parallèle dans la rénovation. Au contact d'Ann, son savoir s'était enrichi de nouvelles connaissances, et sa réputation s'était étendue à tout le comté.

— Et maintenant, Paul, parlez-nous un peu de vous, dit la mère d'Ann en lui servant d'autorité une deuxième tranche de tarte aux noix de pécan. Comment diable avez-vous atterri à Rossiter ?

Il avait préparé son histoire, mais c'était la première fois qu'il allait la mettre à l'épreuve en public. Il jeta un coup d'œil en direction d'Ann, qui lui adressa un sourire entendu, et se lança.

— Eh bien, vous savez, après ma convalescence, j'étais un peu… nerveux. Difficile à vivre pour mon entourage. Ma sœur, Giselle, m'a suggéré de partir en voyage pour me changer les idées. Je l'ai prise au mot. J'ai décidé de descendre à La Nouvelle-Orléans en m'arrêtant en chemin pour visiter différents sites de la Guerre de Sécession, Natchez, Vicksburg…

— Entre nous soit dit, jeune homme, sachez qu'ici, c'est le plus souvent de « l'agression des Nordistes » que l'on parle lorsqu'on fait référence aux événements. Encore un peu de thé ?

— Non, je vous remercie, madame.

Il avait déjà l'impression d'avoir bu des litres du breuvage favori de ses hôtes.

— Et un jour, en allant de Shiloh à Memphis, j'ai fait halte à Rossiter pour la nuit. J'ai vu le panneau « A vendre » en allant au café. J'ai décidé de visiter la maison, sans réelle intention de l'acheter, pour passer le temps avant de me rendre à mon motel. Et voilà.

Cela lui semblait crédible. Il espéra que ce serait leur cas, à eux aussi.

— Eh bien, vous êtes un homme de décision rapide, conclut Sarah Pulliam. Et que pense votre famille de votre déménagement ?

— Il ne me reste que deux cousines, dans le New Jersey. Je les considère comme mes sœurs puisque c'est ma tante qui m'a élevé.

— Oui, Ann nous a dit que votre mère était morte jeune, intervint Nancy.

Il se raidit.

— En effet.

— Et votre père ?
— Il nous avait quittés.
— Oh, je suis désolée.
Nancy avait l'air sincèrement navrée.
— Et vous ne vous êtes jamais marié ?
Il remarqua qu'Ann levait les yeux au ciel.
— Non, pas encore. J'étais trop occupé par mon travail.
— Ce qui n'est plus le cas ? Cette maison est tellement grande, n'est-ce pas, pour une personne seule…
— Maman, trancha Ann. Ça suffit.
— Quoi donc ? s'enquit innocemment sa mère.

Il échangeait, de la main gauche, quelques passes de base-ball avec Buddy lorsque Ann s'avança pour le prévenir que le rangement de la cuisine était terminé, deux grandes boîtes en plastique à la main, dont il supposa qu'il s'agissait des restes du repas.
— Nous allons faire un tour en avion, expliqua-t-il à Buddy.
— Mais d'abord, nous devons passer chez Mlle Esther, tu te souviens ? Ensuite, *si* nous avons le temps, nous irons voler.
Buddy le dominait de sa haute stature, du haut de la deuxième marche du porche.
— Alors, attention… Soyez prudents.
Paul comprit que ses paroles constituaient autant une menace qu'une bienveillante recommandation.
— Bien sûr.

*
* *

Le petit cottage de Mlle Esther avait été fraîchement repeint en blanc. Quand la vieille demoiselle répondit à leur coup de sonnette, elle avait encore son chapeau sur la tête.

— Le service, dans mon église, se tient beaucoup plus tard que dans la vôtre, expliqua-t-elle en les invitant à entrer.

Voyant les boîtes que lui tendait Ann, elle s'exclama :

— Ne me dis pas que c'est le poulet frit de Sarah Pulliam ?

— Si. Et le reste du gâteau. Elle espère que vous les aimerez.

— Bien sûr. Asseyez-vous pendant que je les mets au réfrigérateur et que je vais chercher de la glace pour le thé.

Elle adressa un large sourire à Paul.

— Je n'en ai que pour une minute. Tout est prêt.

Quelques instants plus tard, elle revint avec un lourd plateau. Mais lorsque Paul se leva pour l'en débarrasser, elle le rabroua gentiment :

— Jeune homme, je peux très bien porter ce plateau toute seule. J'ai fait ça toute ma vie.

Paul n'aurait su lui donner un âge. Elle était fluette, mais ses épaules n'étaient pas voûtées et ses cheveux blancs étaient noués en un gros chignon sur l'arrière de sa tête.

Elle s'assit face à eux et leur servit le thé, ainsi que des petits gâteaux faits maison, si appétissants que Paul regretta d'avoir à ce point fait honneur au déjeuner de Sarah Pulliam.

— J'aurais bien voulu aller voir les travaux que vous réalisez dans ma maison, mais c'est le moment de planter, dans le jardin, et j'ai été très occupée…

— Passez quand vous voudrez. Vous serez la bienvenue, madame, répondit poliment Paul.

— Bien. Alors, maintenant, dites-moi un peu pourquoi vous vouliez rendre visite à une vieille négresse usée par l'âge, par un beau dimanche après-midi comme celui-ci ?

— Vous n'avez pas l'air usée, madame.

Elle le considéra un instant, puis éclata de rire. Paul rougit.

— Je parie que vous voulez savoir qui étaient les gens qui vivaient dans votre maison, c'est bien ça ?

— Eh bien... Oui. En fait, j'ai déjà appris pas mal de choses, mais comme vous y avez vécu, j'ai pensé que vous pourriez me renseigner sur la dernière génération et sur les raisons pour lesquelles la maison est en si mauvais état.

Mlle Esther secoua la tête.

— Maribelle avait laissé l'usage de la maison à Mlle Addy et une rente largement suffisante pour l'entretenir. Mais la santé de Mlle Addy a rapidement décliné. Sa santé mentale, surtout. Démence sénile, ont dit les médecins. Parfois, j'étais presque tentée d'aller voir M. Trey pour lui demander d'engager une infirmière.

Elle poussa un soupir.

— Mais j'avais passé presque toute ma vie à m'occuper des Delaney. M. Conrad m'avait donné cette maison alors que la plupart des Noirs vivaient de l'autre côté de la voie ferrée. Après sa mort, Mlle Maribelle m'a gardée à son service.

— J'ai entendu dire qu'elle était difficile, parfois.

— Oh, ça, elle était soupe au lait ! Et jamais un mot d'excuse ! Mais quand elle s'était montrée injuste, elle essayait toujours de s'amender, ensuite. Par exemple, elle se sentait tellement coupable d'avoir obligé M. David à rentrer de France qu'elle a cherché à se rattraper en faisant poser cette grande vitre dans le toit du pavillon d'été pour qu'il puisse y peindre.

— Pourquoi Trey n'a-t-il pas hérité de la maison, à la mort de Maribelle ? s'enquit Ann avec curiosité.

Paul vit les mains déformées de Mlle Esther se resserrer autour des bras de son fauteuil à bascule.

— Mlle Addy avait fait promettre à Maribelle de la laisser y vivre. Même après que Maribelle a appris, au sujet de Mlle Addy et M. Conrad...

— Vous saviez ça ? demanda Ann, avec un sursaut.

— Laisse-moi te dire une chose, mon enfant. Les serviteurs savent tout ce qu'il y a à savoir sur leurs maîtres. Par exemple, j'ai bien vu que sur la fin, Mlle Maribelle, qui avait toujours traité Mlle Addy comme une parente pauvre, ne menait plus vraiment la danse. En tout cas, Mlle Addy a réussi à lui arracher la promesse qu'elle pourrait rester dans la maison si Maribelle venait à mourir avant elle. Pour en savoir plus, il faudrait retrouver le journal de Mlle Addy.

— Son journal ? répéta Paul en jetant un coup d'œil à Ann.

— Nous n'avons rien retrouvé, nota celle-ci. Il a peut-être été jeté.

— Oh, elle l'avait caché.

La vieille dame partit d'un éclat de rire et se balança furieusement dans le fauteuil tandis que les souvenirs revenaient à sa mémoire.

— Mais comme elle perdait la tête, elle ne savait plus où elle le rangeait. Je la trouvais souvent en train d'errer comme une âme en peine dans la maison, au beau milieu de la nuit. Elle ouvrait tous les tiroirs et cherchait dans les placards en disant : « Esther, il faut le retrouver. C'est le troisième. Il faut que je le détruise ! » Je la calmais de mon mieux et, quinze jours plus tard, tout recommençait. Je suppose qu'elle avait peur que quelqu'un ne mette la main dessus et ne découvre sa liaison avec M. Conrad… Après la mort de David, Karen a hérité de la maison que David avait construite, celle où Trey vit aujourd'hui et qu'il a agrandie à plusieurs reprises. David et Karen n'ont vécu qu'environ une année sous le même toit que Conrad et Maribelle, mais, ensuite, David a continué à venir y dormir souvent. Il passait plus de nuits dans son atelier que chez lui. Le pauvre ! Je lui préparais toujours son petit déjeuner et il me répétait que cette maison était la seule dans laquelle il se sentait vraiment chez lui.

Karen n'avait pas parlé de cette maison, mais, évidemment, cela semblait naturel qu'elle n'ait pas eu envie de vivre chez ses beaux-parents. L'idée étrange traversa Paul que le fantôme de son père hantait peut-être cette maison-là, et non la demeure Delaney.

La voix de Mlle Esther le tira de ses pensées.

— Bien sûr, M. Trey était trop jeune pour s'occuper du ranch. Ce furent Mlle Karen et Mlle Maribelle qui prirent le relais jusqu'à ce qu'il ait terminé ses études.

— Que pouvez-vous nous dire sur le fils de Conrad ? demanda Paul. Avait-il des visites ? D'autres femmes ?

Mlle Esther fronça les sourcils.

— Mon garçon, pourquoi cette question ? Si Mlle Ann ne m'avait pas assuré que je pouvais vous parler sans crainte, je penserais que vous êtes un de ces journalistes de la presse à scandale.

Paul s'empressa de la prier de lui pardonner.

— Pour votre gouverne, sachez, jeune homme, que M. David n'a jamais regardé une autre femme après son mariage avec Mlle Karen. Et qu'il n'invitait pas d'amies dans son studio non plus.

— Bien sûr que non, mademoiselle Esther, se hâta de confirmer Ann. Nous vous avons retenue longtemps. Nous allons vous laisser, maintenant.

Paul posa son verre et prit la main de Mlle Esther.

— Merci beaucoup. N'hésitez pas à venir voir la maison. Quand vous voudrez.

Mlle Esther se radoucit. Elle lui sourit.

— Je m'y arrêterai un de ces jours lors de ma promenade.

Lorsqu'ils furent dans la voiture, Ann nota en lui jetant un regard en coulisse :

— J'avais remarqué que les hommes aimaient bien les ragots, même s'ils s'en défendent, mais je dois dire que tu remportes la palme...

— ... de la curiosité morbide, je l'avoue. Je suis désolé.

— Il n'y a pas de quoi. J'ai trouvé tout cela passionnant. Je me demande ce que tante Addy a bien pu faire de ce journal.

— Je chercherai. Et maintenant, en route pour l'aérodrome…

Paul sentit Ann frissonner tandis qu'il l'attachait dans le siège de son Cessna.

— Tu es terrifiée à ce point ? Parce que dans ce cas…

— J'ai souvent pris l'avion. Je n'ai pas l'habitude des petits coucous comme celui-ci, c'est tout.

— Tu n'as pas d'inquiétude à avoir. Je pourrai poser celui-ci dans un champ de coton sans problème. Ce qu'on ne peut pas faire avec un 747, en revanche. Tout ira bien, tu verras.

Il était fier de son petit appareil au fuselage argenté. Une fois ses vérifications terminées, il lança le moteur et commença à rouler sur la piste. A côté de lui, Ann retenait sa respiration. Il lâcha brièvement ses commandes, le temps de presser son genou d'une main rassurante.

Il nota qu'Ann sursautait à chaque changement de régime du moteur, et décida de s'en tenir à un plan de vol simple. Il garda une altitude confortable en veillant à ne pas trop s'éloigner de l'aérodrome, de façon à pouvoir atterrir rapidement si elle lui en faisait la demande.

Peu à peu, il la sentit se détendre. Il s'attacha à lui montrer des repères, au-dessous, vola en suivant le tracé de la voie ferrée qui traversait Rossiter.

— C'est ce qu'on appelle un vol JVADT : « Je vole au-dessus du train », souligna-t-il en criant pour se faire entendre par-dessus le ronflement du moteur.

Sa remarque réussit à lui arracher un petit rire.

Il avait tellement envie de lui faire aimer cette expérience. Peut-être que si elle prenait des leçons... Hack avait son brevet d'instructeur. Il réussirait peut-être à la convaincre.

Trente minutes étaient suffisantes pour son baptême de l'air en Cessna. Il fit demi-tour, reprenant la direction du terrain d'aviation lorsque, sans prévenir, le moteur crachota une unique fois et s'éteignit subitement.

Tout à coup, le seul bruit fut le souffle du vent contre la carlingue. Une seconde plus tard, une giclée d'huile noire maculait le pare-brise.

Il sentit Ann se crisper et devina qu'elle se retenait pour ne pas hurler.

— C'est un joint d'étanchéité qui s'est rompu, expliqua-t-il calmement. Ne t'inquiète pas. Je suis déjà dans l'axe de la piste. Tout va bien. L'avion va descendre tout seul.

Inutile de tenter de redémarrer. A cette altitude, s'il calait de nouveau, ce serait prendre le risque de les tuer tous les deux.

Maintenant fermement le cap, il fit glisser le petit avion vers le sol ; l'appareil rebondit deux fois, puis s'immobilisa en bout de piste.

Dans le silence qui suivit, il l'entendit prendre une profonde inspiration. Il se tourna vers elle et passa un bras autour de ses épaules. Ses phalanges étaient blanchies tant ses mains étaient contractées.

— Je suis navré, Ann. Je ne comprends pas ce qui s'est passé. Les joints venaient d'être vérifiés.

— S'il te plaît, je voudrais sortir de là.

Elle le regarda, le visage blême.

— Tout de suite.

— Bien sûr.

Il sourit.

— Je te promets que nous ne risquions rien.

Il sauta à bas de l'appareil et l'aida à descendre.

— Et si nous avions été en train de survoler les montagnes ?

La question était raisonnable.

— Avec ce type d'avion, on peut se poser pratiquement partout.

Mais il était certain qu'Ann savait qu'il mentait. De fait, si Ann n'avait pas été avec lui, il ne serait pas resté suffisamment à proximité de l'aérodrome pour pouvoir piquer droit vers la piste lorsque le problème était survenu. Il sentit sa belle assurance l'abandonner à son tour.

A ce moment-là, Hack apparut.

— Qu'est-ce qui s'est passé ? Je t'entendais revenir et puis, tout d'un coup, plus rien...

— Un problème sur un joint.

Il se tourna vers Ann.

— Ecoute, il faut vraiment que je jette un coup d'œil au moteur. Est-ce que tu te sens en état de conduire ma voiture ? Hack pourra me ramener plus tard, n'est-ce pas, Hack ?

— Ce ne sont pas des manières, ça, mon garçon. Raccompagne la petite dame. Je vais commencer à regarder… Moi aussi, je veux savoir ce qui s'est passé.

Sur le chemin du retour, il s'efforça de lui expliquer combien ce genre d'incident était rare ; elle ponctua ses explications de brefs hochements de tête, mais il se rendit bien compte qu'il ne l'avait pas convaincue.

Elle descendit de voiture et gravit les marches de son escalier sans même jeter un regard en arrière.

Il passa chez lui pour se changer puis rejoignit Hack.

— Quelque chose me dit que tu ne l'auras pas convertie aux joies de l'aviation, aujourd'hui. Mmm... ?

— Je me demande si elle acceptera jamais de remettre les pieds dans un avion. Pas de chance que cela soit arrivé aujourd'hui !

Hack soupira.

— La chance n'a rien à voir avec cette panne. Viens voir ce que j'ai trouvé.

Penché sur le moteur, Hack désigna la pièce incriminée.

— Regarde ça. Ce joint n'a pas cédé tout seul. On l'a percé. Avec un canif, un pic à glace ou je ne sais quoi. Juste assez pour que la fuite d'huile ne se remarque pas tout de suite. Il a tenu pendant un moment et puis, hop ! Tout d'un coup, plus de pression.

Paul, les yeux rivés sur le trou que lui montrait Hack, sentit les cheveux se hérisser dans sa nuque.

— Il vaut mieux que je vérifie les autres avions, reprit Hack. Le vandale qui a fait ça s'est peut-être amusé à répéter la même plaisanterie sur tous les appareils.

— Très juste, parvint à articuler Paul. Quand penses-tu que cela ait pu se produire ?

— N'importe quand. Il a dû se garer de l'autre côté de la voie ferrée, là-bas, après que je suis allé me coucher et passer à travers champs. Ce qui est risqué, avec tous les mocassins qui sont en train de se réveiller, avec l'arrivée du printemps.

— Donc, cela pourrait très bien se reproduire.

— Plus maintenant. J'ai téléphoné à mon cousin Johnny, pendant ton absence, pour qu'il me prête un de ses chiens de garde. Si quelqu'un s'approche, désormais, les aboiements du chien me préviendront.

Paul regarda la mâchoire contractée de Hack, ses yeux rétrécis au regard dur, et comprit pourquoi il avait été un bon pilote de bombardier. Il ne faisait pas bon avoir Hack Morrisson pour ennemi.

— Qui va pouvoir réparer mon Cessna ?

— Moi, pour commencer. J'ai deux amis à l'aéroport qui travaillent au noir. Ils nous aideront. Mais il va nous falloir au moins quinze jours, le temps de sortir le moteur, de tout vérifier… Et puis, ça va te coûter cher.

— Je n'ai pas le choix, de toute façon. Mais quand j'aurai mis la main sur celui qui a fait ça, je le donnerai en pâtée à ton chien de garde.

En rentrant à Rossiter, Paul passa et repassa l'événement dans sa tête. Personne n'avait de raison d'en vouloir à Paul Bouvet. Alors… Quelqu'un l'avait-il démasqué ?

12.

— Ecoute, je sais bien que tu as eu peur, mais j'aimerais que tu ne te forges pas un avis définitif sur cette expérience-là, insista Paul, sur le pas de la porte d'Ann.

— On verra… Il faudra que j'y réfléchisse.

— Tu m'accompagnes toujours chez Trey, mercredi soir ?

Elle réussit à sourire.

— Bien sûr. Quel rapport ? Ils vivent sur terre, que je sache, pas dans les airs.

Donc, le mercredi soir suivant, une bouteille de très bon vin sur le siège arrière et Ann assise à son côté, Paul bifurqua sur la petite route qui conduisait à la maison de Trey Delaney.

— Nom d'un chien ! s'exclama-t-il, admiratif, en voyant apparaître la propriété. Pas étonnant qu'il n'ait pas souhaité vivre dans la vieille demeure familiale...

Si cette dernière était plus modeste que Tara, Tara, en revanche, aurait pu aisément tenir dans une partie de ce palace géorgien orné d'un énorme portique à colonnes.

— Oui. Je suppose que David l'a construite à une époque faste pour l'élevage de bétail.

— Sans aucun doute ! Il y a même un court de tennis.

— Oui. La piscine est derrière la maison et les écuries et le manège sont par là, assez loin pour que les mouches et les odeurs ne se propagent pas jusqu'à la maison.

Des barrières de ranch blanches bordaient l'allée. De l'autre côté, des vaches de race Black Angus paissaient paisiblement dans l'herbe grasse. Paul mesura pour la première fois à quel point Trey Delaney devait être riche.

Perdre tout cela lui aurait certainement été insupportable. Mais Trey n'avait aucune raison de craindre un ancien pilote de ligne au bras blessé répondant au nom de Paul Bouvet.

Lorsqu'un maître d'hôtel vêtu de blanc leur ouvrit la porte et les invita à le suivre jusqu'à la terrasse située sur l'arrière de la maison, Paul eut l'impression d'être propulsé au beau milieu d'une pièce de théâtre.

Quelques instants plus tard, alors que Trey lui présentait Sue, Paul comprit qu'il était en train de serrer la main du metteur en scène. Ses poignets et son cou étaient chargés de tant de bijoux en or qu'elle aurait coulé à pic si elle avait tenté de se baigner.

Son ex-fiancée lui avait appris à remarquer des choses qu'il n'aurait jamais notées auparavant chez les femmes. Sue était moulée dans une petite robe de printemps à la coupe parfaite, accompagnée de sandales italiennes surmontées de jambes déjà bronzées. Ses cheveux blonds semblaient avoir été récemment coupés. Il dut reconnaître que la jeune femme était superbe. Son corps mince n'avait pas conservé trace de ses deux grossesses.

La soirée se déroula sans la moindre fausse note, la conversation roulant sur les résultats de l'équipe de basket du Tennessee et sur les prochains matchs de football. Sue se comportait en parfaite maîtresse de maison, et Trey en hôte jovial et enjoué. C'était la conversation la plus futile que Paul ait tenue depuis des années. Il nota qu'Ann se glissait sans difficulté dans son rôle social, même si elle l'avait discrètement gratifié d'un clin d'œil complice.

Le mari et la femme étaient bien assortis, songea Paul. Trey, gentil, mais un peu obtus, et Sue, dont la seule activité culturelle devait consister à se plonger chaque semaine dans la lecture de la presse féminine la plus inepte.

Il commençait à se sentir envahi d'un agréable sentiment de supériorité lorsque la discussion prit un tour qui l'obligea à moduler ses préjugés.

— Voilà des années que nous ne sommes pas allés à Stratford, au Canada, expliquait Sue. Depuis la naissance de notre petite Maribelle, en fait. En général, nous allons à New York au moins une fois par an pour voir les spectacles et au festival d'Edinburgh, tous les deux ou trois ans. Mais Trey aura trop de travail, cette année encore.

Elle se tourna vers Ann.

— J'y pense ! Pourquoi n'irions-nous pas, toutes les deux, pour une fois ? Nous sommes probablement encore dans les temps, pour les billets. Je t'invite.

Paul vit le sourire d'Ann se crisper.

— Non, non, je pourrai très bien payer ma part moi-même...

— Oh, évidemment ! Ce n'est pas ce que je voulais dire. Simplement que j'aimerais avoir quelqu'un d'aussi calé en théâtre que toi pour m'y accompagner...

Au fil des échanges qui s'ensuivirent, Paul apprit, non sans surprise, que Sue était diplômée de Swarthmore, en sciences politiques. Au temps pour les idées préconçues ! songea-t-il. L'épouse de Trey n'était pas aussi écervelée qu'elle pouvait le sembler au premier abord.

Au dessert, Paul rappela à Trey qu'il avait promis de lui raconter l'histoire de l'ours.

— Cette horreur ? se récria Sue, levant les yeux au ciel. Viens, Ann, laissons-les. Nous allons chercher le café et débarrasser la table, pendant ce temps. Vous nous rejoindrez dans le salon.

Ils restèrent donc entre hommes et Trey offrit un excellent brandy à son invité tout en commençant :

— L'histoire remonte à l'époque de la jeunesse de mon grand-père, Conrad. Ol' Smokey Joe se dressait devant un vieux restaurant, au bord de la route de Whiteville. Il s'accompagnait d'ailleurs d'un Indien, mais Dieu seul sait ce qu'il est advenu de lui. Une nuit, mon grand-père et une bande d'étudiants de ses amis, après une soirée un peu trop arrosée, se sont dit qu'il serait amusant d'emporter l'ours. Ils ont chargé la statue à l'arrière de la camionnette de mon grand-père et l'ont cachée dans l'atelier, au fond du jardin.

Il lança une œillade amusée à Paul.

— Evidemment, il n'a pas fallu trente secondes au shérif pour deviner qui avait fait le coup. Le propriétaire du restaurant n'a pas voulu porter plainte. L'ours a retrouvé sa place et tout est rentré dans l'ordre. Mais après ça, au fil du temps, le vol d'Ol' Smokey Joe est devenu une sorte de plaisanterie traditionnelle. Il disparaissait, une nuit, puis revenait quelques jours après. A la longue, le restaurateur a fini par ne plus prévenir la police. Après sa mort, son fils a repris l'affaire et a proposé à mon père, David, d'acheter l'ours. Celui-ci a répondu qu'il était d'accord... à condition de le voler une dernière fois pour perpétuer la tradition !

Trey partit d'un grand éclat de rire tandis que Paul songeait, à part soi, que son demi-frère était un conteur-né.

— Un commando composé de Buddy, de Harris Pulliam et de lui-même s'est donc chargé du dernier enlèvement de l'ours, en souvenir du bon vieux temps. Le lendemain, mon père a glissé un chèque dans la boîte aux lettres du restaurant, et… voilà. Depuis, l'ours est enchaîné devant mon bureau.

Il adressa un clin d'œil à Paul.

— Je ne voudrais pas que la jeune génération apprenne cette histoire. Ils pourraient bien se mettre en tête de copier les bêtises de leurs ancêtres !

Cette histoire rappela à Paul qu'il était et resterait toujours un étranger à cette famille. Cette culture, cet héritage, Trey était né et avait grandi avec. Pas lui.

Il dut fournir un réel effort pour sourire.

— Fantastique... Sacrée aventure.

Ils rejoignirent les femmes dans le salon puis, environ une heure après, alors qu'ils s'apprêtaient à prendre congé, Trey se tourna vers Ann.

— Tu n'as pas participé à une chasse à courre depuis bien longtemps, dis-moi. Quelle honte ! Pourquoi ne vous joindriez-vous pas à nous, Paul et toi, samedi prochain ? Ce sera la dernière de la saison.

— Oui, bonne idée ! renchérit Sue.

S'adressant à Paul, elle demanda :

— Vous chassez ?

Il répondit par la négative, aussi poliment que possible, mais Ann lui décocha un sourire diabolique.

— Mais oui, pourquoi pas ? Tu m'as bien emmenée en avion ! La moindre des choses, c'est que je te rende la politesse en te faisant monter sur un cheval.

Il eut beau argumenter, il ne put esquiver la proposition. Il fut décidé que Trey lui prêterait une tenue.

— J'ai un hongre croisé qui fera parfaitement l'affaire. Sa mère était un cheval de trait belge, très placide. Il ne broncherait pas si on plaçait une bombe sous ses pattes. Ne vous inquiétez pas, acheva Trey en riant devant son expression déconfite. Liège n'a jamais désarçonné personne !

Tandis qu'ils s'éloignaient sous le regard de leurs hôtes, qui agitaient la main, debout sur leur perron, Paul murmura :

— Je te déteste.

— Je ne vois pas pourquoi, répliqua Ann, amusée. Tu m'as causé la peur de ma vie. Je te retourne la pareille, c'est tout ! Mais, sérieusement, tu verras, je te garantis que tu t'amuseras bien.

Le samedi matin, le ciel était dégagé et une brise fraîche soufflait du nord.

A 7 heures, Ann arriva chez lui, avec du café et des croissants achetés au café.

— Je suis venue t'aider à t'habiller, annonça-t-elle.

Elle était splendide. En dépit de l'aspect « tout à fait informel » dont avait parlé Trey, elle portait ce qui lui sembla être l'attirail complet du participant à une chasse à courre : de la chemise blanche empesée à la longue veste rouge, en passant par la bombe noire vissée sur la tête et les hautes bottes d'équitation.

— Je ne suis vraiment pas enthousiasmé, avoua Paul, tandis qu'ils se mettaient en route.

— Allons, tout ira bien, répliqua-t-elle légèrement. Taïaut !

Lorsqu'ils arrivèrent aux écuries Delaney, la cour était remplie de cavaliers en grande tenue, de leurs montures, de camionnettes et de remorques pour chevaux.

Trey et Sue n'étaient nulle part en vue.

Il déglutit péniblement.

— Ce que je ne ferais pas pour toi..., murmura-t-il.

— Allez, en selle ! lança Ann.

Ils étaient parmi les derniers arrivés, en grande partie parce qu'il avait repoussé le moment de partir jusqu'à l'ultime extrémité.

— Je te promets de rester près de toi jusqu'à ce que tu te sentes à l'aise, assura-t-elle.

Il grimpa maladroitement sur son cheval, qui lui parut immense, et enfonça les pieds dans les étriers.

— Ça va ? demanda Ann en enfourchant avec virtuosité un fringant pur-sang qui hennissait et dansait sur place, piaffant d'impatience.

Elle s'éloigna de quelques pas, puis fit s'immobiliser le cheval et mit pied à terre.

— Il boite, lança-t-elle à l'adresse d'un des valets d'écurie.

— Oui, *señora*, reconnut l'homme. Hier, tout allait bien. Mais ce matin, sa patte avant a l'air de lui faire mal.

— O.K., Marco. Ramène-le à l'écurie.

Elle se tourna vers Paul, l'air déçu.

— Désolée. Je ne vais pas pouvoir monter.

Il se laissa glisser de sa selle, ravi de l'aubaine.

— Bien sûr que si. Le mien n'est peut-être pas un dragon qui crache le feu comme le tien, mais au moins, il ne boite pas.

Elle considéra Liège avec envie.

— Mais toi..., commença-t-elle.

— Pas de problème, lança une voix, derrière eux. Il peut monter dans mon Meadowbrook. Mais dépêchons-nous...

Un sourire radieux illumina le visage d'Ann.

— Paul, je te présente Mme Adler. Elle suit la chasse avec son attelage.

— Eh bien... Bonjour, madame. Comment allez-vous ?

— Bien, mais pour le moment, je suis un peu pressée, jeune homme. Allez, en voiture et accrochez-vous !

Il s'exécuta de mauvaise grâce tandis qu'Ann, déjà en selle, s'éloignait au trot pour rejoindre la troupe de cavaliers qui disparaissait dans les bois.

Dix minutes plus tard, Paul regrettait son cheval belge. Mme Adler semblait déterminée à rattraper le gros de la troupe avant qu'il ne soit hors de vue.

Comme ils arrivaient, secoués par les cahots du chemin, en haut d'une petite éminence, le son d'un cor résonna au loin.

— Hue, Delta, hue ! s'écria la conductrice, se relevant à demi pour fouetter son grand cheval gris, qui bondit en avant.

Paul, se retenant comme il pouvait, commençait à mieux comprendre ce qu'Ann avait dû ressentir, agrippée à son siège, dans le Cessna. Il se jura, s'il réchappait de cette course folle avec Mme Adler, de ne plus jamais approcher un équidé de toute sa vie.

A plusieurs reprises, il crut sa compagne sur le point d'être éjectée de l'attelage, mais elle retomba chaque fois sur son siège, les rênes toujours fermement tenues par ses mains gantées, tandis qu'ils volaient littéralement au-dessus du sol.

Plus bas, devant lui, il vit la troupe de chasseurs se diriger droit vers une haie de fil de fer barbelé.

— Ils… Ils vont sauter par-dessus les… barbelés ? s'enquit-il d'une voix hachée par les secousses.

— Ne soyez pas ridicule ! Des obstacles de bois sont ménagés à intervalles, dans les barbelés, pour permettre le passage des cavaliers.

La meute courait ventre à terre, suivie de près par les cavaliers. Il repéra Ann, galopant à toute allure sur son cheval belge. C'était donc cela, la bête placide qu'on lui avait promise ?

Les chasseurs commencèrent à s'envoler par-dessus la haie. Ann était à l'arrière du groupe. Elle arriva à la clôture, le cheval prit son élan et, tout à coup, quelque chose dut mal se passer. Ann, en selle la seconde précédente, voltigea soudain en l'air, sur la droite de sa monture, et atterrit de l'autre côté de la barrière, hors de son champ de vision.

Paul se dressa d'un bond, criant son nom.

— Oh, Seigneur..., murmura Mme Adler.

L'accélération qu'elle imprima à son percheron le fit retomber brusquement en arrière, le plaquant contre son siège, mais cette fois, il ne lui en tint pas rigueur.

En bas de la petite butte, Paul sauta à bas de l'attelage avant même que celui-ci ne soit complètement arrêté.

Il se rua en avant, franchit la clôture et le fossé, se fraya un chemin au milieu de l'attroupement de cavaliers qui s'était formé autour d'Ann et se laissa tomber à genoux à côté d'elle.

Elle était couchée sur le dos, les yeux fermés. Il prit sa main gantée.

— Ann, Seigneur ! Ann ! Ça va ?

Elle ouvrit les yeux, prit une profonde inspiration, toussa.

— Ça va... J'ai cru que je n'arriverais jamais à reprendre mon souffle, chuchota-t-elle.

Elle fit mine de se relever sur un coude, mais Trey avança d'un pas.

— Non, ne bouge pas.

— Je vais bien, Trey. C'est simplement que j'ai eu la respiration coupée. Mais bon sang, qu'est-ce qui s'est passé ?

— Quelqu'un va payer pour ça, gronda Trey, menaçant, en prenant son autre main. Tu as dû casser un étrier. Je ne tolère pas ce genre de négligence dans mes écuries !

Elle sourit à Paul.

— Eh bien ! souffla-t-elle. Nous voilà à égalité.

— Tu es sûre que tu n'as pas besoin d'un collier cervical ?

— Mais non, voyons. Je me suis à peine cogné la tête. Je suis retombée à plat. Ma dignité et moi en serons quittes pour quelques ecchymoses. Si quelqu'un pouvait me ramener mon cheval et me prêter un étrier... ?

Paul profita de l'agitation qui suivit pour ramasser la lanière de cuir rompue qu'il avait localisée, non loin d'Ann, et la fourra sous son pull.

Ann insista pour rentrer à cheval et demanda à Mme Adler si elle pouvait reconduire Paul.

— Bien entendu, acquiesça celle-ci. Voilà bien assez d'émotions pour aujourd'hui.

De retour aux écuries, Paul conduisit Liège à son box, en profitant pour récupérer l'autre partie de l'étrier, puis il aida Ann à s'installer dans la voiture et ils reprirent le chemin de son loft.

Après une douche chaude et deux cachets d'aspirine, elle s'allongea et il appliqua une pommade apaisante sur ses contusions qui étaient en train de prendre une intéressante teinte violine.

— Puis-je préconiser un traitement ? demanda Paul.

— Lequel, docteur ?

— Je t'accorde le droit de m'appeler « Très cher docteur ».

— Très cher docteur...

— Dix minutes de chaud, dix minutes de froid, en alternance, sur les bleus les plus douloureux, expliqua-t-il, l'assurant de l'efficacité du remède, utilisé dans les équipes sportives. Ensuite, une nouvelle douche chaude, une autre couche de crème et un massage pour terminer.

Mais il ne put mener à son terme le programme annoncé, interrompu par la sonnerie du téléphone. C'était Nancy Jenkins.

— Comment va Ann ?

Lorsqu'il l'eut dûment rassurée, elle déclara :

— Bon. Prenez bien soin d'elle. Buddy et moi passerons tout à l'heure vous apporter de quoi souper. Disons, vers 6 heures ?

— C'est très gentil, il ne faut pas...

— Aucun problème. A tout à l'heure. N'oubliez pas de sortir Dante !

Ann s'étant endormie entre-temps, il en profita pour examiner les morceaux de cuir qu'il avait cachés.

Aucun doute. Le cuir avait été tranché nettement à l'aide d'un couteau aiguisé dans sa partie inférieure, laissant juste une mince couche de cuir intacte, sur la partie supérieure, si bien que le palefrenier chargé de seller le cheval n'y avait vu que du feu.

Evidemment, c'était lui qui était visé par « l'accident » qui ne pouvait manquer de s'ensuivre, à la moindre augmentation de pression sur l'étrier droit. Il grimaça en songeant aux dégâts qu'aurait causés à son épaule une chute du côté droit. Des dégâts qui auraient fort bien pu être irréparables.

13.

— Demande-leur de partir, murmura Ann tandis que Paul l'aidait à s'installer dans son grand fauteuil, avec des sachets de glace sur l'une des cuisses. Dis que je vais aller me coucher.

Tous quatre venaient de partager le repas qu'avaient apporté les parents d'Ann.

— Veux-tu que je leur révèle l'entière vérité ? s'enquit-il avec un sourire plein de malice.

— Serais-tu un maniaque sexuel, par hasard ? murmura-t-elle.

— Mais non, je ne songe qu'à te dorloter et à embrasser tes bobos, assura-t-il en souriant tendrement.

— Chérie ? lança Nancy Jenkins depuis la table. Buddy et moi allons vous laisser. Tu es entre de bonnes mains. Je ne pense pas que nous te verrons à l'église demain ?

— Peu de chances, en effet.

Paul les raccompagna et en profita pour sortir Dante. Il commençait à s'attacher à cette bête, songea-t-il en regardant errer l'animal, la truffe au sol, cherchant un endroit propice pour se soulager.

Lorsqu'il rentra, Ann n'avait pas quitté son fauteuil.

— Je crois que je vais dormir là, annonça-t-elle. C'est mieux lorsque je ne suis pas couchée sur le dos.

— Vraiment ? Je m'en souviendrai, nota-t-il.

Elle ouvrit grands les yeux.

— Paul !

— Je cherchais seulement à te changer les idées.

— Je n'ai pas envie qu'on me change les idées. J'ai envie de me faire plaindre. Au moins ce soir.

Il la contempla un instant, hésitant à lui révéler la vérité. Mais bon sang, s'il ne la mettait pas en garde, elle pourrait tomber, tête baissée, dans un autre piège qui lui serait destiné, à lui.

— Ann, cet accident n'en était pas un.

Elle le dévisagea, perplexe, tandis qu'il allait chercher les deux parties de la lanière de cuir sectionnée.

— Regarde ça, dit-il en revenant.

Les sourcils froncés, elle inspecta les extrémités des morceaux de cuir, les retourna d'un côté, puis de l'autre, avant de relever la tête. Elle avait pâli.

— C'est bien ce que je crois ?

— Si tu crois que quelqu'un a incisé la partie inférieure du cuir pour qu'il cède lorsqu'on imprimerait une pression plus forte, alors, oui.

Elle baissa de nouveau les yeux.

— C'était l'étrier droit, n'est-ce pas ? Tu es monté par la gauche, à cause de ton épaule… donc, il ne pouvait pas lâcher à ce moment-là. Si c'est une plaisanterie, elle est de mauvais goût. Et très dangereuse.

— Ce n'est pas une plaisanterie, Ann.

Il lui raconta ce que Hack et lui avaient découvert en examinant le Cessna.

— C'est un problème très coûteux à réparer. Et de plus, Hack m'a téléphoné hier pour me prévenir qu'il avait trouvé le même trou pratiqué dans un joint similaire du Stearman. En volant en rase-mottes comme on le fait pour l'épandage des cultures, là, je n'aurais pas eu le temps de réagir à une panne de ce type.

— Donc, c'est toi qu'on vise, conclut Ann d'une voix blanche. Passe-moi le téléphone. Il faut prévenir papa.

Il posa la main sur l'appareil.

— De quoi ? Que quelqu'un ne m'apprécie pas ? Nous ne pouvons pas prouver que cela procède d'une réelle volonté de saboter les avions. Dans un tribunal, on aurait tôt fait de me rétorquer qu'il pourrait tout aussi bien s'agir d'une plaisanterie douteuse imaginée par des jeunes. Non, je préfère attendre un peu. Maintenant, je suis au courant. Je me méfierai. Mais je préfère que tu gardes tes distances vis-à-vis de moi tant que tout n'est pas rentré dans l'ordre. Du moins, en public, acheva-t-il avec un demi-sourire pour tenter de soulager la tension que ses paroles avaient fait naître.

Elle frissonna.

— C'est l'heure de passer du froid au chaud, nota-t-elle. Est-ce que je peux venir m'asseoir près de toi ? Tu présentes une surface de chaleur nettement supérieure à celle de la bouillotte.

Il l'aida à se lever et elle se lova contre lui frileusement.

— Que comptes-tu faire à propos de ces… incidents ? Tu ne crois pas qu'il faudrait t'éloigner pendant quelque temps, le temps que la maison soit finie ?

— C'est ce que tu veux ?

Elle leva la tête pour l'embrasser sous le menton.

— Je veux t'avoir ici, près de moi. Mais je te préfère en vie.

Il aida finalement Ann à se diriger jusqu'à son lit et s'allongea à côté d'elle, tout habillé, dans l'intention de réfléchir à la situation, tout en veillant sur Ann pendant un moment.

Mais la journée avait été longue et il ne tarda pas à sombrer dans le sommeil. Il n'entendit pas Ann se lever. Ce fut finalement l'arôme du café qui l'éveilla.

— Bonjour, paresseux.

Il émit un grognement inarticulé, songeant que sa ceinture avait dû creuser un sillon indélébile en travers de son estomac.

Il ouvrit un œil et entrevit Ann, debout, un café à la main, à côté du lit.

— Tu vas mieux ?

— Ta thérapie-miracle a dû fonctionner. J'ai beaucoup moins mal.

— Ou alors c'est moi qui ai hérité de tes douleurs, souligna-t-il avec une grimace.

— Je veux bien embrasser un homme qui a des favoris, mais mon seuil de tolérance s'arrête là. Je refuse de donner un baiser à un homme qui a dormi avec ses vêtements et n'a pas pris la peine de se brosser les dents.

Il emprunta un rasoir jetable et une nouvelle brosse à dents à Ann, puis, après sa douche, revint dans la cuisine, pieds nus, et s'approcha d'elle pour l'embrasser.

Ils échangèrent un long baiser passionné et, comme il l'attirait plus près de lui, elle laissa échapper une petite exclamation étouffée.

— Les douleurs n'ont pas *entièrement* disparu.

— Te sens-tu en état d'aller prendre un bon petit déjeuner dehors ?

— Le café est fermé. Soit nous nous contentons de céréales sans lait, soit nous sortons pour tenter de trouver des œufs et du bacon. Je suis partante.

— Il faut simplement que je passe à la maison pour me changer, fit remarquer Paul.

Il se retourna vers elle.

— Tiens, à propos de brosse à dents, cela me rappelle que la mienne a disparu, voilà quelques jours... C'est très étrange. Elle était à sa place, le matin, et quand je suis revenu, le soir, impossible de mettre la main dessus.

— Un des ouvriers l'aura utilisée comme outil et aura préféré ne pas s'en vanter.

— Mmm..., dit-il, songeur.

Avant que le sommeil ne le surprenne, alors qu'il était abîmé dans ses réflexions, allongé à côté d'Ann, la veille, un nom lui était venu à l'esprit.

Karen Lowrance. Se pouvait-il que ce soit elle qui ait commandité ces… accidents ?

Une chose lui semblait désormais acquise : son père, qu'il avait toujours tenu pour seul responsable de la mort de sa mère, ne lui paraissait plus aujourd'hui être un meurtrier. Il était trop faible, trop inoffensif. Mais peut-être l'avait-on aidé.

Karen semblait parfaitement capable de commettre un meurtre, si cela se révélait nécessaire.

Et si c'était à Karen, et non à David, que sa mère avait eu affaire, autrefois ? Ce n'est pas parce que l'ex-épouse de son père l'avait reçu de façon charmante, lorsqu'il lui avait apporté le pastel, qu'elle n'avait pas essayé de le supprimer depuis.

Sa mère était si jeune, si romantique... Une proie facile, si Karen lui avait offert compassion, consolation et sympathie.

Avait-il blâmé toute sa vie son père pour un acte qu'il n'avait pas commis ?

La journée du dimanche s'étira paisiblement, confortablement, en compagnie d'Ann. La lecture du *Sunday Times* lui manqua, mais le journal local n'était pas si mauvais. Ils partirent se promener en voiture pendant deux longues heures avec Dante à l'arrière. Ann lui montra les sites intéressants du secteur, puis ils firent quelques pas le long du Mississippi en crue.

Le soir, ils dégustèrent des steaks qu'ils avaient achetés sur le chemin du retour, puis ils se couchèrent et s'unirent une nouvelle fois dans une merveilleuse extase.

Ils étaient convenus que Paul partirait un peu avant 6 heures et demie du matin, heure à laquelle le café ouvrait ses portes, ce qui lui permettrait de regagner sa maison sans être vu, puis de revenir prendre le petit déjeuner avec Ann à 7 heures et demie, comme s'ils ne s'étaient pas vus depuis la veille.

Le plan aurait pu fonctionner si une voiture de patrouille conduite par un policier que Paul ne connaissait pas n'était passée par là, juste au moment où il émergeait de l'allée. L'inconnu le vit traverser le square et le salua, le bras levé par la portière, en s'éloignant.

« Pris en flagrant délit », songea piteusement Paul. Il ne doutait pas que Buddy serait au courant avant la fin de la matinée.

La communauté entière se liguait-elle contre lui pour le chasser d'ici, avant qu'il ne devienne le deuxième homme à ruiner la vie d'Ann Corrigan ? Non... C'était absurde.

Tandis qu'Ann et lui se rendaient chez lui, après le petit déjeuner, il leva les yeux vers la façade de cette maison qu'il voyait jour après jour renaître de ses cendres.

— Je n'aurais jamais imaginé que ce serait aussi réussi, souligna-t-il.

— Mais c'est loin d'être terminé, rappela Ann. Il faudra faire poser des moustiquaires aux fenêtres, choisir des tapis, un mobilier adéquat...

— Les moustiquaires, ça, c'est sûr. Quand je la vendrai...

Ann s'arrêta net.

— Quand tu la *vendras* ? répéta-t-elle, horrifiée.

— Je... Je veux dire... *Si jamais* je la vends un jour, bredouilla-t-il.

— Tu n'as pas dit « si ». Tu as dit « quand ».

— Mais enfin, c'est le genre de chose qui peut arriver, Ann.

— Oui, cela porte même un nom, rétorqua-t-elle d'une voix froide. Cela s'appelle « spéculer ». Tirer un gros bénéfice d'un investissement, puis s'en débarrasser et passer au suivant.

— Ecoute, viens. Nous discuterons à l'intérieur. Ici, sur le trottoir, tout le monde peut entendre.

— Je m'en moque ! Si *moi*, je possédais une maison comme celle-ci, *jamais* je ne m'en séparerais ! Quand je pense que j'ai mis tout mon cœur dans cette restauration ! Et l'équipe de mon père aussi ! Nous t'avons accueilli chez nous, nous t'avons ouvert nos maisons — voire nos lits, pour certaines...

— Ann...

— Parce que nous pensions que tu allais t'installer ici, à Rossiter. Devenir un membre de notre communauté.

— Ann, calme-toi. Nous sommes en train de nous disputer pour *un* mot. Un seul malheureux mot.

Elle planta son regard dans le sien.

— Bien. Alors, ose me jurer que tu n'as pas l'intention de déménager ?

Que pouvait-il lui répondre ?

— Pas dans l'immédiat, non. Mais les choses peuvent changer. Ce qui ne signifie pas que mes sentiments pour toi, pour Rossiter, changeraient aussi. Bon sang, je t'aime, Ann !

Un charpentier grisonnant qui descendait juste de son camion leur adressa un sourire.

— Très bien, ça. Tant mieux pour vous.

— Oh, bravo, soupira Ann. L'information va faire le tour du comté, maintenant…

Elle s'interrompit, les paupières plissées.

— Répète un peu ce que tu as dit ?

— J'ai dit que je t'aimais. Je ne sais pas où cela nous mènera. Ce n'était pas prévu, mais… Enfin, voilà. C'est arrivé.

— Oh...

— Alors, prenons simplement les choses comme elles viennent et vivons notre histoire au jour le jour.

— Et si, moi aussi, je t'aimais ?

Paul ferma les yeux.

— Je croyais que j'avais la situation bien en main. Mais maintenant, je ne sais plus, je suis perdu... Quoi qu'il arrive, souviens-toi que je t'aime, d'accord ?

— D'accord.

Elle le considérait d'un air intrigué.

— Il faut que je retourne à l'aérodrome. J'ai encore deux champs à pulvériser et… Et, toi, tu as… Oh, je ne sais pas… Tu as certainement à faire aussi.

— O.K.

— Et, maintenant, je vais t'embrasser au vu et au su de tout Rossiter.

Il l'attira contre lui et mit résolument sa menace à exécution. Puis il tourna les talons, disparut derrière l'angle de la maison, grimpa dans sa BMW et s'éloigna à une allure qui lui aurait valu une amende pour excès de vitesse si Buddy avait été dans les parages.

Les ouvriers de son père avaient assisté à la scène, Ann le savait, mais personne n'osa y faire allusion directement. Elle décida de prendre sa pause-déjeuner chez elle au lieu de risquer une incursion dans le café.

Lorsqu'elle eut ingurgité son sandwich au thon, elle se lova sur le canapé, Dante à côté d'elle.

Le baiser et la déclaration de Paul auraient dû la combler d'allégresse. Mais étrangement, son euphorie se teintait d'une sensation de malaise. Elle avait appris à se fier à cet instinct qui, dans l'exercice de son métier, lui avait maintes fois soufflé qu'une main ou une expression — parfois, un tableau entier — se dissimulait sous des couches de peinture. Aujourd'hui, elle était prête à parier que Paul Bouvet, lui aussi, avait quelque chose à cacher.

Elle regarda Dante.

— Travis m'a trompée si souvent que je n'arrive plus à faire confiance à un homme, murmura-t-elle.

Un son plaintif monta de la gorge de l'animal.

Buddy avait vérifié l'identité et la solvabilité de Paul avant la signature de l'acte de vente de la maison. Il ne pouvait s'agir d'usurpation d'identité. Paul ne mentait pas en affirmant qu'il n'était pas marié et n'avait jamais eu d'enfants.

— Mais rien ne me prouve qu'il n'est pas le genre d'homme à avoir perpétuellement besoin de l'admiration d'une femme et qu'il ne m'a pas élue, moi, comme compagne d'un moment... Peut-être qu'il s'entiche des femmes aussi facilement que Travis, pour s'en désintéresser tout aussi vite ensuite ?

Si tel était le cas, dans un village comme Rossiter, tout le monde ne manquerait pas d'être au courant. Et elle ne supporterait pas une nouvelle humiliation. Ces regards de commisération se posant de nouveau sur elle, comme cela avait été le cas après son expérience avec Travis, quelle perspective !

Elle devait absolument se trouver une activité, meubler son après-midi. Elle médita un instant. Le journal de tante Addy… S'il ne comptait pas au nombre des objets vendus aux enchères et s'il n'avait pas été détruit, il devait être encore dans la maison.

Elle se leva résolument.

Eh bien, elle allait mettre la main dessus ou elle ne s'appelait pas Ann Corrigan !

14.

Après le déjeuner, Ann dut s'occuper du remplacement des carreaux dans la salle de bains de devant et elle remit ses recherches du journal à plus tard.

En travaillant, elle décida qu'elle n'avait pas le droit de pousser Paul à préciser ses projets. Peut-être convenait-il de suivre le conseil de Marti et de profiter simplement du moment présent.

Paul et elle pique-niquèrent une nouvelle fois sous sa véranda, ce soir-là, et ils en étaient au dessert lorsque le téléphone sonna.

— Giselle. Bonsoir. Désolé, j'aurais dû t'appeler plus tôt.

Il jeta un coup d'œil à Ann, se leva, traversa sa chambre et disparut dans le couloir.

Pourquoi tant de mystère ? s'interrogea-t-elle. Il lui avait dit qui était Giselle. Piquée par la curiosité, Ann dut ronger son frein pendant les dix minutes que dura leur conversation. A une ou deux reprises, il haussa le ton. Elle l'entendit déclarer une fois :

— Je suis aussi perturbé que toi. Peut-être que je me suis trompé depuis le début.

Trompé ? A quel propos ? se demanda Ann, de plus en plus intriguée.

Enfin, il revint et se rassit.

— C'était ma sœur, Giselle, expliqua-t-il inutilement.

— Elle va venir te voir lorsque les travaux seront terminés ?

La question parut le prendre de court.

— Je n'avais pas pensé à ça. Si les circonstances s'y prêtent, je suppose que ce sera possible, oui.

Un frisson désagréable lui parcourut l'échine, malgré l'épaisse chemise à carreaux qu'elle avait empruntée à Paul.

Il s'en rendit compte et la prit dans ses bras.

— Allons, viens, rentrons. Je rangerai tout ça demain avant d'aller à l'aérodrome.

— Je croyais que tu en avais terminé avec l'épandage.

— Oui, mais je répare le Cessna avec Hack. C'est un gros travail.

Il laissa passer une seconde, puis questionna :

— Qui sait piloter un avion, par ici ?

— Je ne sais pas. Quelques fermiers, je suppose. Il y a les pilotes qui habitent à Lagrange, bien sûr. Hack saurait mieux te renseigner, je pense.

Bien plus tard, alors qu'ils reposaient, tendrement blottis l'un contre l'autre, dans le doux bien-être qui avait succédé au déchaînement de leur passion, Ann demanda :

— Parle-moi de ta mère.

— Ma mère ? Pourquoi ?

— Parce que j'ai envie de tout savoir de toi.

— Elle a disparu quand j'étais très jeune. Fin de l'histoire.

— Mais tu dois avoir des souvenirs ? Des photographies ?

— Seulement une. Je te la montrerai à l'occasion, répondit-il d'une voix ensommeillée.

Elle se dressa sur son séant.

— Pourquoi pas maintenant ?

— Si tu veux, mais ce n'est qu'une vieille photo, marmonna-t-il entre deux bâillements.

A contrecœur, il se leva, fourragea dans sa valise et en tira un cliché, qu'il lui tendit.

— Oh, c'est toi, n'est-ce pas ? Quelles jolies boucles tu as ! Tu as les mêmes cheveux bruns qu'elle.

Elle ne précisa pas que sa mère était maigre à faire peur, ni qu'elle avait l'air de porter toute la tristesse du monde sur ses épaules, alors qu'elle tenait le plus beau des garçonnets dans ses bras. Pourtant, il lui sembla qu'il y avait quelque chose de familier dans cette photographie…

Elle se glissa au-dehors, suivie de Dante, avant l'aube, et rentra chez elle. Quelque chose la taraudait, à propos de cette photo, mais ce ne fut que lorsqu'elle entra sous la douche que la mémoire lui revint subitement.

Elle sortit précipitamment de la cabine, s'enroula dans un drap de bain et courut consulter les dessins qu'ils avaient rapportés de l'atelier d'oncle David. Elle les passa rapidement en revue, et trouva ce qu'elle cherchait.

Cette jeune fille rieuse, les cheveux au vent… A première vue, elle n'avait rien de commun avec cette femme prématurément usée par la vie que Paul lui avait montrée. Et cependant… Les traits étaient bien les mêmes. Le modèle d'oncle David était bel et bien la mère de Paul.

Un par un, elle étudia les autres dessins, s'attardant sur le nu sensuel un peu plus longtemps que sur les autres.

Elle reforma soigneusement la pile, les rouages de son cerveau fonctionnant à plein régime, puis enfila en toute hâte un pantalon, un pull-over, et entortilla un foulard autour de ses cheveux humides.

La voiture de Paul n'était pas dans le parking. Il avait déjà dû partir pour le terrain d'aviation. En courant, elle revint sur ses pas, sauta dans sa camionnette et démarra en trombe juste au moment où la voiture de son père apparaissait.

— Ralentis ! l'entendit-elle crier.

Elle obtempéra et attendit d'avoir atteint la grand-route pour accélérer de nouveau. Sa camionnette sauta par-dessus la voie ferrée comme elle approchait de l'aérodrome.

Lorsqu'elle s'arrêta devant le hangar dans lequel était rangé l'avion de Paul, l'effet de surprise passé, sa stupéfaction s'était muée en fureur.

Elle fonça au pas de charge sur Paul et Hack, penchés sur le moteur.

— Tiens, Ann, ma petite ! s'exclama Hack de sa voix rocailleuse. Qu'est-ce qui nous vaut…

Elle ne lui laissa pas le loisir de terminer. Paul s'était retourné.

— Descends de là, ordonna-t-elle sèchement. Nous avons à parler.

— Maintenant ? questionna Paul, interdit.

— Je vais aller boire un café, intervint Hack en s'éloignant discrètement vers sa caravane.

Paul essuya ses mains graisseuses sur un chiffon, descendit de l'escabeau sur lequel il était perché et s'approcha d'elle.

Elle recula vivement.

— Ne me touche pas, qui que tu sois !

— Pardon ? Ann…

— Qu'est-ce que tu as cru ? Que cette photo était trop vieille et jaunie pour que je fasse le rapprochement ? Pas de chance ! Je l'ai reconnue !

Il pâlit.

— Je… je ne vois pas de quoi tu parles.

— Oh, si ! La jeune fille dessinée par oncle David… C'est ta mère ! Inutile de nier.

Il baissa la tête.

— Je ne le nie pas.

Il se détourna.

— Je dormais à moitié quand tu as demandé à voir cette photo. Je n'ai pas réfléchi… J'aurais dû tout t'expliquer depuis longtemps, je le sais, mais…

— Qui es-tu, pour l'amour de Dieu ?

Elle criait, maintenant. Du coin de l'œil, Paul nota que les poils s'étaient hérissés sur le dos de Dante.

— Calme ton chien. Il va me sauter dessus.

— Ça va, Dante. Couché !

L'animal obéit.

— Bien, alors, voilà…, commença Paul.

Et il lui relata toute l'histoire depuis le début, sans rien omettre.

— Le fait que la maison ait été en vente était une coïncidence. J'étais seulement venu pour étayer mes soupçons. Quand j'ai vu le panneau et que j'ai su de quelle maison il s'agissait, il m'a semblé que ce serait la couverture idéale.

— Une couverture ? C'est tout ce que cela représentait pour toi ? Une couverture ? Et cette soi-disant passion pour l'histoire et les sites de la guerre de Sécession, c'était un mensonge, aussi ? Tu as dépensé un quart de millions de dollars pour… pour te couvrir ?

— Je comptais aller beaucoup plus loin que cela. Je voulais tout dévoiler, jeter à la face des Delaney mon identité. Tout leur prendre, aussi. Crier au monde entier qui avait été David Delaney. Un bigame et un assassin ! Je voulais obliger ses descendants à reconnaître que Trey n'était pas l'héritier légitime. Que c'était moi, le fils aîné de David Delaney. J'ai même songé à revendiquer le patrimoine de mon père. J'en aurais eu le droit, tu sais. J'ai vérifié. Selon les dispositions testamentaires de Paul David Delaney, la presque totalité de ses biens devait aller à son premier fils légitime. C'est-à-dire moi, et pas Trey Delaney.

Ann le considérait, muette.

Il la contempla durement.

— Et par-dessus tout, je voulais savoir où ton cher oncle David avait enterré le corps de ma mère. Je voulais pour elle une tombe digne de ce nom, avec une épitaphe du genre : « Ici repose Michelle Bouvet Delaney, épouse de Paul David Delaney, mère de Paul Antoine Bouvet Delaney. »

— Et une fois ceci accompli, qu'aurais-tu fait de la maison ? Tu l'aurais brûlée ? Dansé sur ses cendres ?

— J'aurais eu le plaisir de la revendre à leur nez et à leur barbe.

— C'est insensé. *Tu* es complètement insensé !

Il la contempla longuement, puis se passa une main sur les yeux.

— Oui, je commence à croire que tu as raison. Que je me suis trompé.

— David n'était pas ton père ?

— Oh, non, sur ce point, aucun doute. Mais je ne suis plus aussi sûr qu'il ait tué ma mère.

— Et si tu reprenais tout, depuis le début ?

— En arrivant aux Etats-Unis, ma mère et moi avons vécu chez tante Helaine et oncle Charlie. Maman travaillait avec Helaine, à la boulangerie. Comme je te l'ai expliqué, j'ai vu ma tante dépérir de chagrin à cause de la disparition de sa sœur. Elle avait vu ma mère nourrir tant d'espoirs à son arrivée ! Moi, j'étais trop jeune pour me rendre compte de ce qui se passait. C'est ma tante qui m'a raconté, par la suite. Ma mère était venue pour rechercher l'homme qu'elle aimait. Tout ce qu'elle savait de Paul David Delaney, c'est qu'il était originaire d'une petite ville du Sud-Est et que sa famille était fortunée.

— Elle voulait le retrouver pour lui demander de contribuer à ton éducation.

— Elle le voulait, *lui*. Elle était persuadée qu'il l'aimait toujours mais que sa famille l'avait empêché de la rejoindre. Elle se disait que lorsqu'il saurait qu'il avait un fils…

— Seigneur, murmura Ann.

— Elle n'avait pas encore vingt-cinq ans.

— Elle paraît plus âgée, sur cette photo.

— Oui. Elle était rongée par le chagrin. Je ne me rappelle pas l'avoir jamais vue sourire. Elle n'a jamais cessé de l'aimer… Et puis, un jour, elle a laissé un mot pour tante Helaine, disant qu'elle pensait savoir où se trouvait mon père et qu'elle partait le rejoindre. Qu'elle la tiendrait informée, mais qu'elle était pressée parce que le bus allait partir. C'est la dernière fois que nous avons entendu parler d'elle.

Il baissa la tête, et soupira.

— Oncle Charlie a signalé sa disparition, contre l'avis de tante Helaine. Elle avait raison. La police a déclaré que ma mère était majeure, qu'elle m'avait sûrement abandonné pour s'enfuir avec un amant. Le dossier a été classé sans suite.

— Mais elle aurait donné de ses nouvelles. Ecrit ou téléphoné.

— Ecrit. Un appel téléphonique à longue distance aurait coûté trop cher. Nous n'étions pas riches. Bref… Les années ont passé. Ma mère n'a jamais reparu. Au bout de sept ans, oncle Charlie a forcé ma tante à déclarer maman morte. Pour pouvoir m'adopter légalement.

— Ils t'aimaient.

— Chacun à leur manière, oui. Tante Helaine n'était pas… démonstrative, mais je pense qu'elle m'aimait, oui. Oncle Charlie et elle ne voyaient pas les choses de la même façon. Mon oncle me poussait à oublier le passé, à aller de l'avant, disant que le meilleur pied de nez que je pouvais adresser à mon père était de réussir dans la vie pour lui faire regretter de m'avoir abandonné.

— Judicieux conseil.

— Tante Helaine, elle, était absolument convaincue que mon père avait tué ma mère lorsqu'elle était allée le rejoindre. A force de me le répéter, elle a fini par m'en persuader, moi aussi. Il y a six mois, après la mort de tante Helaine, Giselle a découvert, cachée dans son placard, la valise de ma mère, qui avait été retrouvée un an après sa disparition, dans une consigne de la gare routière, à Memphis. Je n'en avais jamais rien su. Pas plus que je n'avais eu connaissance du détective privé qu'oncle Charlie avait engagé pour retrouver maman. A posteriori, je comprends pourquoi ma tante ne m'a pas donné tous les éléments d'information concernant ma mère. Elle n'était pas d'accord avec oncle Charlie. Son principal souci, c'était de ne pas faire de vagues, ne pas attirer l'attention des autorités sur eux de peur qu'on ne leur retire ma garde. Venant de France où elle avait connu la guerre, elle vivait dans la hantise perpétuelle de l'autorité, de la police. Elle a donc obligé mon oncle à tout arrêter et à remercier le détective. La piste que celui-ci avait suivie s'arrêtait à Memphis... Il avait dressé une liste de dix-sept Delaney, dans différents Etats. C'est de là que je suis remonté jusqu'à Paul David Delaney, à Rossiter. Je te passe les détails... Ce type de recherche est largement facilité par l'existence d'Internet, aujourd'hui.

— Et quand tu es arrivé ici, tu t'es senti floué parce que tu n'avais pas bénéficié de la richesse de ton père et de tous les privilèges que Trey a eus ? Cela t'a mis en colère.

Il lui jeta un regard froid.

— Ce qui m'a surtout mis en colère, c'est de découvrir que mon père avait épousé une autre femme deux mois après son retour ici et qu'il avait eu un fils d'elle, moins d'un an après le mariage. Un enfant élevé dans l'aisance et le luxe, et qui, surtout, avait eu la chance d'avoir ses deux parents. Cela m'a mis hors de moi, de songer à la différence que cela aurait fait pour ma famille si mon père avait pourvu à mon éducation. Mon oncle et ma tante ont hérité d'un neveu qui n'avait pas un sou, alors qu'ils avaient déjà deux enfants à charge et travaillaient soixante à soixante-dix heures par semaine en parvenant tout juste à joindre les deux bouts !

Ann inclina la tête.

— Mais oncle David n'était pas au courant de ton existence... Evidemment, maintenant que je sais tout ça, je comprends mieux pourquoi Trey a cherché à te nuire.

— Trey ? Pourquoi Trey ? Il ne connaît pas mon identité. J'ai pensé à sa mère, mais elle non plus ne sait pas qui je suis.

— Tu veux parier qu'elle sait ce que tu as mangé au petit déjeuner, voilà un an de cela ? Si tante Karen a tout révélé à Trey... Il a toujours été sous la coupe de sa mère, même si, aujourd'hui, Sue prend un peu le relais. Pour lui, la famille est la valeur suprême ; il serait prêt à tuer celui qui la mettrait en danger.

Un instant passa.

— Tu sais, voilà longtemps que je voulais tout t'avouer...

Ann laissa entendre un petit rire sans joie.

— Mais tu ne l'as pas fait. Si j'avais réellement compté pour toi, tu m'aurais fait confiance. Alors, écoute-moi bien, parce que je vais te dire comment les choses vont se passer : je vais terminer la restauration de la maison. Ensuite, je vais accepter ce travail qu'on m'a proposé, dans la prairie, à Des Moines. J'en aurai au moins pour trois mois. Quand je reviendrai, tu auras eu tout le temps de jeter ton pavé dans la mare des Delaney et de causer ton petit esclandre. Je suggère qu'après ça, tu mettes la maison en vente — Mme Hoddle se fera un plaisir de s'en occuper pour toi — et que tu repartes directement pour le New Jersey.

Il ouvrit la bouche pour parler, mais elle éleva les mains devant elle.

— Non, je ne veux rien entendre. Pas un mot. Travis se servait de moi pour me soutirer de l'argent ; toi, tu t'es servi de moi pour obtenir des informations. C'est la même chose. J'espère que tu retrouveras le corps de ta mère. Mais je peux t'affirmer une chose : ton père n'a jamais fait de mal à une mouche. Alors, sois sûr qu'il n'a pas tué la femme qu'il a représentée sur ces dessins. En revanche, toi, si tu tiens à la vie, tu ferais bien de t'en aller d'ici !

Elle pivota sur ses talons et repartit en courant vers sa voiture. Il aurait pu la rattraper, mais à quoi bon ? Le pire, dans tout cela, était qu'elle avait raison. Où l'avait mené sa soif de vengeance, au bout du compte ? A perdre la seule femme qu'il avait jamais véritablement aimée — celle avec qui il aurait voulu partager sa vie.

Il entendit Hack qui revenait, traînant les pieds.

— Du grabuge, hein ? Laisse-lui le temps de se calmer. Tout finira par rentrer dans l'ordre. Elle t'aime, fiston.

— Moi aussi, je l'aime.

— Eh bien, alors ? Tant que le sang n'a pas coulé, qu'il n'y a pas de mort, tout peut toujours s'arranger.

— Mais quelqu'un est mort, justement. Je ne sais plus quoi faire, Hack.

15.

Les yeux secs, Ann suivait les courbes de la route, tel un automate, sans voir les cornouillers qui commençaient à fleurir sur les bas-côtés. Son chagrin était si profond que les larmes ne venaient pas.

Lorsqu'elle se gara dans l'allée de sa grand-mère, Sarah Pulliam se trouvait dans son jardin, occupée à arracher les mauvaises herbes dans ses massifs de fleurs.

Elle se releva, ôta ses gants et se tourna vers elle, le sourire aux lèvres.

— Ann ! Quelle bonne…

Elle se figea en voyant le visage de sa petite-fille et se précipita vers elle.

— Que se passe-t-il ? C'est Buddy ?

— Non, ce n'est pas Buddy. Ni maman. C'est moi.

Ann s'était crue incapable de pleurer, mais elle fondit en larmes dans les bras de sa grand-mère.

— Allons, viens. Tu vas tout me raconter.

— J'ai promis de ne rien dévoiler, mais il m'a bien menti, lui ! Je ne vois pas pourquoi je devrais tenir parole. Il faut que je parle à quelqu'un.

Sa grand-mère l'installa dans un fauteuil à bascule, sous la véranda, et s'assit en face d'elle. Dante vint se poster fidèlement à côté du fauteuil.

Ann lui relata toute l'histoire, son récit entrecoupé de sanglots. Plus elle parlait, plus le balancement du fauteuil s'accélérait.

— Donc, voilà, conclut-elle enfin. Il voulait des informations ; il les a eues.

— Tu l'aimes, si j'ai bien compris.

— Oui, concéda-t-elle avec un soupir. Mais j'aimais Travis, et je m'en suis remise. Je me remettrai cette fois aussi.

— Mais ce n'est pas pareil. Travis, c'était un rêve qui s'est transformé en cauchemar. Lui s'est mal comporté vis-à-vis de toi, mais il avait ses raisons. Bonnes ou pas, je ne sais pas. Mais en tout cas, il t'aime, ça ne fait aucun doute. J'ai vu la façon qu'il a de te regarder. Il ne mentait pas sur ce point. Si Paul Bouvet — ou Delaney, peu importe — est l'homme qui t'est destiné, il va falloir trouver le moyen d'arranger les choses.

— Mais…

— Ecoute-moi. Si ta mère t'avait été enlevée dans de pareilles circonstances et que tu avais vécu toute ta vie sans savoir ce qu'il est advenu d'elle, tu ne sais pas quelle aurait été ta réaction. Cet homme… Avec le passé qui est le sien, il aurait pu devenir un délinquant, un voyou, que sais-je ? Au lieu de quoi, c'est un héros. Je me suis finalement souvenue où j'avais déjà entendu son nom. Cet accident d'avion dans lequel il a été blessé… Eh bien, la mémoire m'est revenue : il a fait la une des journaux à l'époque. Paul Bouvet a sauvé la vie de plusieurs personnes. A mon avis, il est venu ici dans l'intention de faire éclater le scandale et d'en finir avec cette histoire qui le hantait depuis son enfance. Mais une fois ici, il a appris à nous connaître, il t'a rencontrée, et, peu à peu, il a changé de perspective.

— Et donc, selon toi, il peut tirer son épingle du jeu aussi simplement que ça ?

— Oh, tu l'as bien puni, ce matin... Et puis, il va souffrir encore, tant qu'il n'aura pas décidé de la conduite à tenir.

— Alors, que suggères-tu ?

— Loin de moi l'idée de te dicter ta conduite.

Ann rit pour la première fois depuis qu'elle était arrivée.

— Allons, grand-mère ! Tu en meurs d'envie. De toute façon, je ne suivrai tes conseils que s'ils me conviennent.

— Eh bien, aide-le à éclaircir le mystère qui entoure la disparition de sa mère. Et ensuite, mets-toi en retrait et laisse-le prendre seul sa décision. A mon avis, il trouvera le moyen de rester à Rossiter et te demandera en mariage.

— Tu as sorti ta vieille boule de cristal, c'est ça ?

— Tu sais bien que j'ai le don et que je n'en ai pas besoin, protesta sa grand-mère, l'air offensé.

Ann soupira et se renfonça dans son fauteuil.

— J'aimerais que tu aies raison. Mais comment faire pour l'aider ?

— Tu pourrais commencer par mettre la main sur le journal d'Addy. Elle y notait tout, absolument tout. Si Addy savait, ce sera consigné à l'intérieur.

Ann s'assura que la voiture de Paul n'était pas dans le parking avant d'entrer dans la maison. Elle avait pris un engagement tant vis-à-vis de Buddy que de Paul, et entendait respecter le cahier des charges établi en collaboration avec son père.

Il fallait terminer ce travail, et le plus tôt serait le mieux. Elle se dirigea vers le fond du jardin. Si l'atelier pouvait être sauvé, la petite pergola, en revanche, était infestée de termites. Ann avait dessiné un plan pour la reconstruire à l'identique, avec du bois neuf. Il lui restait encore à détacher l'un des candélabres victoriens qui étaient fixés en haut des parois, pour le cas où Paul souhaiterait faire dupliquer le modèle d'origine.

Le siège de bois qui courait le long des huit façades du petit édifice lui parut tenir bon lorsqu'elle le testa. Elle grimpa prudemment dessus et se mit au travail. Le candélabre à la main, elle redescendait de son perchoir lorsqu'un craquement retentit sous ses pieds. Elle se rattrapa de justesse et s'écorcha le coude.

Se pouvait-il que tante Addy ait caché le journal, quelque part hors de la maison ? s'interrogea-t-elle en considérant, songeuse, le bois vermoulu du banc. Les sièges de la pergola faisaient office de coffres de rangement ; elle souleva leurs couvercles, jeta un coup d'œil à l'intérieur, mais ne trouva rien d'autre que de vieux oreillers. Elle s'abîma dans ses réflexions. Elle était familiarisée avec les cachettes dont les gens, à l'époque victorienne, se plaisaient à truffer leurs maisons. Ils adoraient les coins et les recoins. Elle en avait déjà mis à jour plusieurs au cours de la restauration… Restait à découvrir celles qui étaient vraiment bien dissimulées.

Du jardin, Ann leva les yeux. Son regard tomba sur les grandes baies vitrées de la pièce de musique.

Le piano ? Tante Addy avait-elle pu ménager une cachette à l'intérieur de l'instrument lui-même ?

Elle se dirigea vers la maison et entama de minutieuses recherches, commençant par les pieds du piano pour remonter lentement jusqu'au couvercle, puis au dos de l'instrument. Elle inspecta de la même façon le tabouret rembourré.

Elle s'assit sur le sol, adossée au mur, et Dante vint se coucher près d'elle, posant sa grosse tête sur ses genoux. Subitement, le visage de la mère de Paul lui revint à la mémoire. Ce visage aux traits tirés qu'il lui avait montré...

Prise d'un désir plus fort qu'elle, elle se leva, ordonna à Dante de ne pas bouger, et se dirigea vers la chambre de Paul.

Son cœur bondit lorsqu'elle referma la porte derrière elle pour s'isoler des ouvriers qui s'affairaient à l'étage, et vit le matelas qui la narguait sur le sol. Elle aurait dû le percer d'un coup de cutter ! Elle chassa les larmes d'un revers de main rageur et détourna résolument les yeux.

Sa valise était ouverte, dans un coin. Elle s'approcha, écarta quelques paires de chaussettes rangées dans un ordre quasi militaire et sortit le portrait de sa mère.

Le cliché avait été pris devant un bâtiment d'apparence officielle. Une bibliothèque, peut-être, ou une banque.

Ses cheveux étaient tirés en arrière et elle portait des gants blancs, courts, qui dataient la photographie.

Sa robe semblait être un vêtement de prix. Une coupe Princesse, des manches trois-quarts. Quelque chose dans le tomber parfait du tissu lui souffla qu'elle avait dû être taillée sur mesure. Les Françaises avaient un goût si sûr lorsqu'il s'agissait de s'habiller !

L'étoffe elle-même s'ornait d'un élégant imprimé géométrique, presque cubiste. Ann se demanda si Michelle n'avait pas cousu cette robe elle-même. Comment, sinon, aurait-elle pu s'offrir un vêtement qui ressemblait à un modèle de couturier parisien ?

Elle remit le portrait soigneusement en place ; Paul ne saurait jamais qu'elle y avait touché. Elle se faufila hors de sa chambre et réussit à s'éclipser avant de croiser son père, ce qui était préférable, car il aurait risqué de remarquer ses yeux rougis et de lui poser des questions embarrassantes.

En rentrant chez elle, elle appuya sur le bouton de son répondeur. Dix messages. Tous de Paul.

— Va au diable, dit-elle à l'appareil.

Puis elle alla s'asseoir en tailleur sur son lit, où Dante la suivit.

Si elle n'avait pas à ce point joué son jeu, abondé dans son sens, elle se sentirait peut-être moins stupide aujourd'hui. « J'aimerais juste en savoir un peu plus sur la famille dont j'ai racheté la maison »... Menteur !

L'occasion parfaite de lui parler de sa mère s'était présentée lorsqu'ils avaient découvert les dessins, dans le studio. Mais il ne lui avait pas fait confiance. Les Delaney s'étaient toujours considérés un cran au-dessus des Pulliam et des Jenkins, mais c'était la famille, et elle les avait trahis en parlant à tort et à travers et en dévidant sans méfiance tout le fil de leur histoire. Quelle idiote, vraiment !

Mais les informations qu'il avait accumulées ne lui serviraient à rien, car elle était bien persuadée qu'oncle David n'avait pas commis l'acte dont Paul le soupçonnait.

Ni lui ni peut-être quelqu'un d'autre... La mère de Paul avait très bien pu mourir d'une crise cardiaque et avoir été envoyée à la morgue, puis enterrée dans l'anoymat. Ou avoir fait une mauvaise rencontre en chemin... Etre montée dans la voiture d'un fou dangereux...

Il n'existait pas l'ombre d'une preuve indiquant qu'elle était arrivée à Rossiter.

Ann se cala contre ses oreillers et referma les mains autour de ses genoux, repliés contre sa poitrine.

Si c'était le cas, cependant, par quel moyen était-elle venue ?

Elle se redressa et téléphona à sa grand-mère, qui lui confirma qu'un car reliant Memphis à Nashville s'arrêtait autrefois à Rossiter, à la demande des passagers. Il existait deux liaisons par jour, précisa sa grand-mère. Une le matin, et une l'après-midi.

Ann remercia Sarah et raccrocha. Pensive, elle revint vers son lit puis se ravisa. Il y avait un endroit où Addy aurait pu cacher son journal et dans lequel elle n'avait pas regardé.

La boîte à boutons.

Elle se dirigea vers le guéridon dans lequel était enchâssée la boîte, prit cette dernière et en renversa sans cérémonie le contenu sur sa table de travail. Puis elle décolla doucement le cuir dont l'intérieur était habillé. Rien dans le couvercle. Rien non plus dans le fond de la boîte.

Déçue, elle remettait fils et boutons en place lorsqu'elle s'interrompit, pétrifiée.

Non... Ce n'était pas possible.

Il fallait qu'elle revoie cette photographie de Michelle. Elle s'empara de sa loupe de travail, glissa le petit sachet de plastique dans la poche de son jean et reprit, Dante sur ses talons, le chemin de la maison Delaney.

Elle ne trouva personne sur le palier, à l'étage. Des voix lui parvenaient depuis la salle de bains de devant, où les hommes étaient en train de poser le nouveau lavabo. Elle avait le champ libre.

Rapidement, elle se faufila dans la chambre de Paul, se dirigea droit vers la valise et ressortit le portrait de Michelle, qu'elle examina cette fois sous le verre grossissant de sa loupe.

Tirant le petit sac de sa poche, elle compara les boutons qu'il contenait avec ceux de la robe. De l'émail noir, décoré de motifs blancs. L'un représentait un oiseau, le suivant une grenouille, un troisième une rose, puis un papillon.

Il ne pouvait exister deux séries exactement identiques de boutons de ce type, songea-t-elle avec une sourde excitation. Il n'y avait qu'une seule explication à la présence de ces boutons dans la boîte de tante Addy : quelqu'un les avait décousus de la robe de Michelle.

Or, elle savait que la valise de Michelle était restée à la consigne de la gare, à Memphis ; elle n'avait donc pas de quoi se changer.

Ann demeura immobile, interdite. Paul avait donc raison ? Pourtant, non ! Elle ne pouvait pas imaginer David faisant du mal à quelqu'un. Les boutons... Bien sûr, ils étaient dans la boîte de tante Addy, ce qui aurait pu l'incriminer, elle, mais... Là non plus, cela ne lui semblait pas cadrer avec la personnalité de sa grand-tante.

En revanche, deux femmes, dans la famille Delaney, auraient été capables de meurtre : Karen Delaney Lowrance et Maribelle Norwood Delaney.

Maribelle était morte et enterrée depuis longtemps, mais pas Karen.

Il fallait prévenir Paul. Et Buddy. Il était temps de mettre la police au courant.

La ligne téléphonique n'était toujours pas en service dans la maison. Elle sortit de la chambre de Paul. Personne... Mais un bourdonnement de voix lui parvenait depuis le rez-de-chaussée. Prise d'une impulsion, elle ouvrit la porte du monte-plats et cria :

— Hé, les garçons, en bas ! Quelqu'un aurait-il un téléphone portable à me prêter ?

— Ça alors ! Mais... Ann, c'est toi ?

— Oui, Cal. Tu as un portable ?

— Bien sûr.

— Ne bouge pas. Je descends te l'emprunter.

Buddy était en patrouille. On promit de transmettre son message lui demandant de passer à la maison. Puis elle composa le numéro de l'aérodrome. Hack lui apprit que Paul était allé faire une course en ville, mais qu'il ne tarderait pas à rentrer.

Les derniers ouvriers partis, Ann s'assit d'un bond sur le plan de travail de la cuisine nouvellement posé et mordilla un de ses ongles.

Ce maudit journal ! Si seulement elle le retrouvait... En face d'elle, la trappe du monte-plats était ouverte. Elle regarda les pots de peinture et les sacs d'enduit tandis qu'une idée germait dans sa tête.

Une idée complètement extravagante.

Elle sauta à bas du comptoir, s'approcha de la cage du monte-plats et se mit à enlever vivement tout son matériel.

— C'est insensé ! Tante Addy ne serait pas allée jusqu'à de telles extrémités pour cacher son journal, grommela-t-elle.

Elle prit une lampe de poche sur le comptoir de la cuisine, braqua son faisceau dans la cage du monte-plats vers le bas. Pas de moteur. Le fonctionnement de l'élévateur était exclusivement manuel. Elle dirigea le faisceau vers le haut, mais la lueur ne parvenait pas jusqu'au sommet.

Pas d'autre solution que de monter là-dedans pour aller voir par elle-même.

— Dante, va te coucher et attends-moi.

Le chien obéit et s'éloigna sans hâte vers le séjour.

Ann s'insinua tant bien que mal dans l'étroite ouverture, s'assit, recroquevillée, sur la plateforme, et commença à tirer sur les câbles pour se hisser vers l'étage supérieur. La tâche n'était pas aisée, malgré la présence de contrepoids servant à faciliter le déplacement de la plate-forme. La cage semblait se prolonger jusqu'au niveau du grenier. Pourtant, elle n'avait pas remarqué de trappe d'accès, là-haut.

Elle inspectait les parois autour d'elle au fur et à mesure de sa progression, mais ce fut seulement lorsqu'elle eut presque atteint les poulies qu'elle le vit. Un paquet coincé dans un renfoncement de la paroi. Elle actionna le frein du monte-plats, s'inclina en avant pour pouvoir se saisir de l'objet.

Voilà ! Elle le tenait. C'était plus lourd et plus volumineux qu'elle ne s'y attendait. Il devait contenir autre chose qu'un unique cahier.

Impatiente de voir ce que sa trouvaille recelait, elle manœuvra le monte-plats jusqu'au premier étage et s'en extirpa aussi vite qu'elle le put.

— Un appel pour toi dans le bureau, annonça Hack à Paul.

Il faisait presque nuit. Les deux hommes étaient épuisés.

— C'est Ann ? demanda Paul en levant à demi le nez de son moteur, sans pouvoir masquer la pointe d'espoir dans sa voix.

— Non. C'est une femme, mais ce n'est pas Ann.

Paul abandonna sa besogne avec un soupir et se dirigea vers le téléphone.

Il reconnut instantanément l'intonation distinguée de Karen Lowrance.

— Monsieur Bouvet ? Paul, je me demandais... Me rendriez-vous un grand service ? J'aimerais que vous passiez me voir en rentrant chez vous.

Elle habitait dans la direction opposée, ce qu'il ne manqua pas de lui rappeler.

Mais elle insista tellement qu'il finit par accepter.

Il se doucha chez Hack et passa les vêtements propres qu'il avait apportés.

Lorsqu'il partit, dix minutes plus tard, il était présentable.

Ce fut un homme rondouillard aux yeux bleus et à l'expression étonnée qui lui ouvrit la porte.

— Monsieur Bouvet ? Je ne crois pas que nous nous connaissions.

Il tendit la main.

— Je suis Marshall Lowrance. Ma femme vous attend dans la bibliothèque.

Après les formalités d'usage, il conduisit Paul vers la pièce et ouvrit la porte.

— Chérie ! Je serai dans le bureau, en face, si tu as besoin de moi.

« Ou si, moi, j'ai besoin de vous », songea sombrement Paul.

Karen Lowrance l'accueillit avec affabilité.

— Asseyez-vous. Merci d'être venu. Puis-je vous offrir quelque chose à boire ?

Il refusa tout en notant que le verre à whisky posé sur la table basse ne contenait que des glaçons. Avec un peu de chance, Karen Lowrance était peut-être relativement sobre.

Elle prit une profonde inspiration, s'assit sur le divan, à quelque distance de lui, et déclara, sans se départir de son aisance mondaine :

— Je sais qui vous êtes.

Sa voix était calme, mais il remarqua que ses ongles rouges étaient enfoncés dans le cuir du fauteuil.

Il ne fut pas autrement surpris. N'avait-il pas remarqué la crispation de ses mains, la stupéfaction qui s'était fugitivement peinte sur son visage lorsqu'il lui avait pour la première fois serré la main ?

Mais elle avait si bien caché son jeu pendant le reste de leur entrevue qu'il avait rejeté cette idée.

— Vous êtes le fils naturel de mon mari. Le bâtard qu'il a eu avec cette traînée française, à Paris ! lui lança-t-elle soudain au visage, sans aucune trace d'aménité.

Elle ouvrit grands les yeux, comme étonnée d'avoir proféré des paroles si détestables.

Paul n'avait jamais levé la main sur une femme, mais il lui fallut faire appel à tout son sang-froid pour ne pas la gifler.

Il déglutit avec peine, s'obligea à compter jusqu'à dix, inspira lentement pour tenter de recouvrer son calme — et n'y parvint que modérément.

Ne pas s'énerver. Abattre tranquillement sa carte maîtresse... et jouir du spectacle.

— Je suis le seul et unique fils légitime de Paul David Delaney. Il avait *épousé* ma mère, en France. Le bâtard auquel vous faites allusion, c'est *votre* fils.

— Vous mentez ! glapit-elle en se jetant sur lui.

Ses ongles griffèrent le vide, devant son visage, et il l'attrapa par les poignets.

— Arrêtez !

— Vous mentez ! Vous mentez !

Avec la force d'une tigresse défendant son petit, elle lui assena des coups de pied dans les chevilles, tenta de lui donner un coup de genou dans le bas-ventre et se contorsionna en tous sens pour se libérer de l'étau de ses mains, tout en continuant à crier : « Menteur ! Menteur ! »

Il sentit son bras droit commencer à trembler.

— Chérie ? Est-ce que tout va bien ? lança une voix plaintive depuis le hall.

— Oui, Marshall. Nous en aurons fini d'ici à une minute.

— Exactement, siffla Paul, les dents serrées. Calmez-vous, pour l'amour de Dieu ! Je ne veux pas vous faire mal.

Elle cessa de lutter subitement et le contempla, médusée :

— Me faire mal ? Vous ne voulez pas me faire mal ?

Tout à coup, elle renversa la tête en arrière et partit d'un rire hystérique.

Son corps s'amollit soudain et, de son bras gauche, il la fit glisser vers le divan, où elle s'affaissa plus qu'elle ne s'assit.

Le rire convulsif se mua en sanglots incoercibles.

Paul versa une dose de bourbon dans le verre qui était devant lui et le lui tendit. Il crut qu'elle allait le balayer d'un revers de main, mais elle s'en empara et but goulûment, tenant le verre à deux mains, jusqu'à la dernière goutte.

— Servez-m'en un autre.

— Je ne crois pas que ce soit une bonne idée. Voulez-vous un peu d'eau ?

Une grimace de dépit déforma ses traits.

— « Dit le bourreau avant d'exécuter sa victime » !

Ce qui déclencha un nouvel accès d'hilarité mêlée de larmes.

— Va pour de l'eau, alors, poursuivit-elle. Beaucoup, beaucoup d'eau.

Elle but encore d'un trait, puis reposa le verre, semblant un peu calmée.

Elle leva les yeux vers lui.

— Vous pouvez prouver ce que vous avancez ?

Il hocha la tête.

— Oui, j'ai les papiers officiels établis par la mairie, les signatures des témoins. J'ai même le sceau de l'Ambassade américaine attestant de la légalité de son mariage en France.

Elle ferma les yeux.

— Je ne comprends pas. Comment a-t-il pu m'épouser s'il était déjà marié ?

— Vous avez raison. C'est impossible.

Elle frémit et lui jeta un regard angoissé.

— Que voulez-vous dire ? Que notre union n'était pas valide ?

— Vous avez été sa compagne, même si vous n'étiez pas légalement mariés.

— Sa compagne ? Mon Dieu ! C'est le terme qu'emploient les gens de basse extraction qui vivent ensemble sans jamais se soucier de passer devant le maire !

Elle le regarda calmement pour la première fois depuis le début de sa crise de nerfs.

— Combien voulez-vous ?

— Je vous demande pardon ?

— Combien voulez-vous pour vous en aller et nous laisser tranquilles ?

— Madame Lowrance, j'ai de l'argent.

— Alors, qu'est-ce que vous voulez ? Tout, c'est ça ? Mais que connaissez-vous au travail dans un ranch du Tennessee ? Au bétail, au coton ? Trey... Seigneur, Trey a une maison, une famille, il a sa place dans la communauté. Lui dire qu'il est le fils d'un bigame, né hors mariage, qu'un Français venu de nulle part va lui prendre tout ce à quoi il tient, tout ce qu'il aime...

Elle se laissa aller contre le dossier du divan.

— Je ne vous laisserai pas faire ; je préfère encore vous tuer.

Elle avait prononcé ces paroles comme s'il s'était agi d'un commentaire sur le temps qu'il faisait.

— Jusqu'ici, vous n'avez pas réussi.

Il enfonça les mains dans ses poches et s'éloigna d'elle. Puis il se retourna.

— Je suis venu ici dans l'intention de faire précisément ce que vous redoutiez. Vous déposséder de tous vos biens. Tout m'approprier, comme je me suis approprié la maison Delaney. Et révéler le secret de ma naissance de la façon la plus brutale qui soit, afin de vous faire autant de mal que vous m'en avez fait.

— Qu'avons-nous fait ?

Ce fut à son tour de laisser entendre un petit rire désabusé.

— Voyons… David Delaney a convaincu une jeune Française de dix-huit ans de l'épouser secrètement. Croyez-moi, à cette époque-là, ce n'était pas chose facile. Il ne lui a jamais dit exactement d'où il venait, ni qui était sa famille. Ma mère l'aimait, mais elle ne voulait pas perdre sa virginité avant d'être mariée. Elle n'en voulait pas à son argent : j'ai lu des lettres qui attestent qu'elle était prête à vivre dans une chambre de bonne pendant qu'il étudiait l'art, à Paris. Ce qu'elle désirait, c'était passer sa vie avec l'homme qu'elle aimait et qui était son mari.

Il soupira.

— Le plus étrange, dans tout ça, c'est qu'ils semblent avoir été réellement heureux, pendant les trois mois qui ont suivi leur mariage, à Paris. Ensuite, le puissant clan Delaney a rappelé sa brebis égarée. Il a obligé David à mener la vie à laquelle il l'avait destiné, à épouser une jeune femme du pays. Lorsqu'il est reparti pour l'Amérique, ma mère a réellement cru qu'il reviendrait à Paris. Combien de temps vous a-t-il fallu pour le convaincre que sa vie n'était pas là-bas ? Qu'il était fait pour être planteur, comme ses ancêtres, et pour vous épouser, vous ?

Elle releva le menton.

— Pas longtemps.

— Il ne savait pas qu'elle attendait un enfant de lui. Sinon…

— Sinon quoi ? Vous pensez qu'il l'aurait rejointe en France ? J'en doute ! Pourquoi, alors, lui aurait-il donné de fausses informations sur ses origines ?

— C’est peut-être vrai. Mais nous parlions de ce que les Delaney m’avaient fait, à moi. Ma mère a passé les six années suivantes de sa vie et toutes ses économies à tenter de le retrouver. Et quand elle y est finalement parvenue, il l’a tuée.

Karen sursauta et bondit sur ses pieds.

— Quoi ? C’est faux ! Mon mari n’aurait jamais levé la main sur une femme. A plus forte raison sur une femme qu’il était censé aimer.

— Il l’a tuée, poursuivit Paul, imperturbable. Et il a enterré son corps de façon qu’on ne puisse jamais le retrouver. Si bien que pendant que votre Trey était choyé par ses parents, ses grands-parents, et élevé dans le luxe, mon oncle Charlie et ma tante Helaine se voyaient obligés de recueillir un orphelin et de lutter pour l’éduquer, tant bien que mal, ainsi que leurs deux filles, avec le salaire d’un plombier.

— Vous ne semblez pas avoir souffert de cet état de fait.

— J’en ai souffert de mille façons que vous ne pouvez pas imaginer. Mais j’ai survécu et j’ai fini par retrouver la trace de l’homme qui m’a donné le jour.

Il étudia sa physionomie et déclara :

— Vous le savez bien, puisque vous avez demandé à Trey de voler ma brosse à dents. C’était pour un test d’ADN, n’est-ce pas ? Vous vouliez être sûre, mais vous ne souhaitiez rien révéler à Trey.

— Non, évidemment.

Elle laissa s’écouler quelques instants, puis continua, le regard perdu dans le vague.

— J’ai eu des soupçons dès le premier jour. Je savais que David avait eu une aventure à Paris. Qu’il aimait une femme ou croyait l’aimer. Je ne savais pas qu’elle avait eu un enfant de lui, mais je l’ai toujours craint. Le temps passant, ces dernières années, j'avais fini par chasser cette idée de mon esprit. Je pensais que nous ne risquions plus rien. Les cauchemars s'étaient espacés.

— Je suis désolé pour vous.

— Ah oui ? Je croyais que vous vouliez nous dépouiller ?

Il secoua la tête.

— Non. J'ai dit que telle *avait* été mon intention, *au début*. Mais j'ai appris à vous connaître. Vous n'êtes plus des ennemis sans visage, pour moi.

— Alors, maintenant que nous avons des visages, que comptez-vous faire ?

— Je ne sais pas. J'espère toujours retrouver l'endroit où ma mère est enterrée. Veiller à ce qu'elle ait des funérailles décentes. Et je tiens à ce que la famille Delaney reconnaisse, à titre privé, non seulement le forfait de mon père, mais aussi ma filiation légitime.

Un pâle sourire étira les lèvres de Karen Lowrance.

— A titre privé ? Je vois. Alors, je ne serai peut-être pas obligée de vous tuer, finalement.

— Vous pourriez, au contraire, m'aider à découvrir ce qui est arrivé à ma mère.

— Comment ? Je n'ai aucune idée de ce qu'il est advenu de votre mère, mais je reste persuadée que mon mari n'a rien à voir avec son décès. D'abord, pourquoi êtes-vous si sûr qu'elle est morte ? Elle vit peut-être quelque part, à l'autre bout du pays.

— J'ai des preuves attestant qu'elle est venue ici pour rencontrer mon père. Ensuite, elle a disparu.

— Elle aurait pu être tuée en chemin.

— Je ne crois pas à ce genre de coïncidence.

— Mais pourquoi vous acharnez-vous contre David ? Tout le clan Delaney aurait eu des raisons de l'éliminer, souligna doucement Karen. Moi la première, si je l'avais rencontrée et si j'avais su qui elle était.

— Est-ce ce qui est arrivé ?

Karen secoua la tête.

— Non.

Pour la première fois, elle posa sur lui un regard dans lequel perçait de la compassion.

— Vous n'avez pas envisagé la possibilité qu'elle ait pu attenter elle-même à ses jours ? Elle était seule, avec un enfant. Si elle a découvert que David en avait épousé une autre et avait un autre enfant, elle a pu commettre un acte désespéré.

— Non, pour plusieurs raisons. C'était une fervente catholique. Elle n'aurait jamais commis un péché aussi grave. La deuxième raison, c'est moi ; elle ne m'aurait jamais abandonné sans un mot d'explication. Ni sa sœur, avec qui elle s'entendait bien. La troisième, et la plus irréfutable, c'est qu'on aurait retrouvé son corps.

— Je vois que vous avez tourné et retourné toutes les hypothèses dans votre tête, constata Karen.

— J'ai eu tout le temps… Voilà environ trente ans que je ne fais pratiquement que ça.

— Et pourtant, vous avez dû travailler dur. Il faut être un brillant élève pour entrer dans l'Aéronavale.

— Cela vous étonne ? D'après vous, j'aurais dû devenir un délinquant ou un drogué ?

— Cela aurait très bien pu se produire, compte tenu des circonstances.

— Pas de mon point de vue. J'avais été abandonné par mes deux parents. Cela me laissait deux possibilités : soit je sombrais, pour bien souligner tout le mal qu'ils m'avaient fait, soit je visais le sommet, pour leur montrer que je n'avais pas besoin d'eux.

— A quand remonte la disparition de votre mère ?

— Le dernier jour où je suis sûr qu'elle était encore en vie était le 25 août 1974.

Karen se redressa sur le divan.

— Le 25 août. Dieu merci ! s'exclama-t-elle en joignant les mains. La voilà, la preuve que David ne l'a pas tuée ! Chaque année, nous passions les trois dernières semaines d'août en Floride. Il y était, cette année-là, comme toutes les autres années. Avec moi.

Elle fronça les sourcils.

— Je pense pouvoir retrouver des preuves de notre présence là-bas. Il faudra peut-être une semaine ou deux, mais...

Il l'examina attentivement.

— Savez-vous piloter un avion ?

— Un avion ? Seigneur, non. Et David non plus.

— Et vous n'avez jamais fait part de vos soupçons à Trey ?

— Sûrement pas. Il croit que vous êtes celui que vous prétendez être.

— Alors qui avez-vous engagé pour saboter mon avion ?

L'espace d'un instant, elle le dévisagea, visiblement stupéfaite. Puis son regard dévia vers la droite. Sa poitrine se souleva.

— Personne.

— Et la courroie de l'étrier ? Vous avez soudoyé l'un des palefreniers de Trey pour qu'il la trafique ?

— Mais enfin, de quoi parlez-vous ?

— On a essayé par deux fois de me tuer. Vous ne voyez pas qui cela peut être ?

Elle refusait toujours de le regarder.

— Et Trey ? Sait-il piloter, lui ? Si vous ne lui avez pas révélé mon identité, que lui avez-vous dit, au juste ?

Elle bredouilla :

— Il… Il a pris quelques leçons, mais la partie théorique l'ennuyait. Trey est un bon garçon… Il ne ferait jamais une chose pareille. Il vous trouve même sympathique ! C'est lui qui me l'a avoué. Je l'ai bien averti que vous pouviez représenter un danger pour nous, mais…

Son visage blêmit et elle se couvrit la bouche de la main.

— Mon Dieu, j'ai dit qu'il faudrait trouver le moyen de vous forcer à partir d'ici, à nous laisser tranquilles.

Elle ferma les yeux, porta une main à sa bouche.

— Seigneur ! Il m'a répondu de ne pas m'inquiéter. Qu'il allait tout arranger !

Paul lui tendit le téléphone.

— Appelez-le. Tout de suite.

Elle s'exécuta.

— Karen ? répondit Sue. Non… Je le croyais avec vous. Il est parti voilà une heure en disant qu'il devait passer vous voir… J'ai essayé de l'en empêcher parce qu'il… il avait beaucoup bu. Oh, mon Dieu !

Lorsque Karen raccrocha, elle leva les yeux vers Paul.

— J'ai peur. Il faut que nous le trouvions avant qu'il n'ait commis quelque chose de vraiment irréparable.

— Ce qu'il a fait est déjà suffisamment grave, à mon avis.

— S'il vous plaît. Personne n'a été blessé. Nous paierons les réparations de votre avion.

Il lui jeta un coup d'œil, s'empara du téléphone et composa le numéro du poste de police.

Il demanda si un accident de voiture avait été signalé.

— Non ? Bien. Et demandez à Buddy de localiser Trey Delaney. D'après sa femme, il est parti au volant de sa voiture, en état d'ébriété.

Il écouta ce que lui répondait le policier et couvrit le combiné de sa main.

— Il paraît que son 4x4 était garé devant son bureau, tout à l'heure.

— Sans doute était-il l'intérieur, en train de continuer à s'enivrer.

— Pour trouver le courage d'imaginer un autre petit accident ?

Karen l'attrapa par le bras.

— Paul ! J'ai dit que si vous n'aviez pas acheté cette maudite maison, vous n'auriez jamais mis les pieds ici !

— Vous pensez qu'il pourrait détruire la maison ? Mais c'est... c'est dément !

Il replaça le combiné devant sa bouche.

— Ecoutez, pouvez-vous joindre Buddy par radio et lui demander d'aller jeter un coup d'œil chez moi ?

Il raccrocha.

— Allons, Karen. Il est temps de mettre fin à tout ceci.

16.

— Trey Delaney ? Qu'est-ce que tu fais ici ? s'enquit Ann.

Trey était agenouillé entre les éléments de la cuisine qui venaient d'être posés. En se relevant précipitamment, il fit tomber la clé qu'il avait à la main.

— Et… Et toi ? Il n'y avait pas de lumière.

— J'étais dans la salle de bains, en haut. Les volets sont fermés. Qu'est-ce que tu caches, derrière ton dos ?

Elle tendit le bras en manière de plaisanterie pour lui arracher ce qu'il dissimulait, mais il la repoussa avec plus de force qu'il n'était nécessaire.

— Désolé, Ann. Je ne voulais pas te faire mal. Seigneur, je ne voulais de mal à personne.

Elle sentit les cheveux se hérisser dans sa nuque. Ridicule. C'était son cousin, Trey. Un gentil garçon pas très brillant, qu'elle connaissait depuis toujours. Il n'y avait pas de raison d'avoir peur de Trey.

Elle s'exprima d'un ton calme. Trey réagissait toujours à l'autorité.

— Trey Delaney, montre-moi immédiatement ce que tu tiens dans la main.

— Ce n'est qu'une vieille bougie, répondit-il, boudeur.

— Une bougie ? Mais pourquoi la mettre là ?

Son regard se porta au-delà de lui.

— Qui est l'imbécile qui a oublié de boucher l'arrivée de gaz ? nota-t-elle, mécontente. Cela pourrait être dange...

Elle s'interrompit au milieu de sa phrase, comprenant tout à coup.

Trey jeta la bougie à l'autre bout de la pièce.

— Pourquoi a-t-il fallu que tu viennes ? La maison aurait dû être vide.

— J'attendais Paul.

— Il est chez maman. Elle l'a appelé. Il n'était pas censé rentrer avant que... que...

Comme la lumière se faisait jour en elle, la colère l'emporta sur la peur.

— C'est toi qui as manigancé ces stupides stratagèmes ? L'étrier ? Le sabotage de l'avion ? Te rends-tu compte que ce ne sont pas des blagues de potache ? Que tu aurais *réellement* pu tuer quelqu'un ?

— Je voulais lui faire peur pour qu'il s'en aille. Maman affirme qu'il pourrait être dangereux pour la famille.

— Il n'est pas dangereux. Il est gentil et ne veut nuire à personne.

Le regard de Trey se durcit ; elle vit ses poings se refermer.

— Non, il n'est pas gentil.

Elle n'avait jamais remarqué jusqu'alors à quel point Trey était imposant. Son pouls se mit à battre plus vite. Elle se força au calme.

— Est-ce que, par hasard, elle t'aurait dit pourquoi il pouvait représenter un danger pour ta famille ?

— Pas encore, mais je sais que cela a à voir avec papa ou grand-père. Une sorte de vendetta, peut-être. Elle m'a réclamé sa brosse à dents et un verre dans lequel il aurait bu. Elle voulait ses empreintes.

Elle le contempla, accablée.

— Tu as déjà entendu parler de l'ADN, Trey, n'est-ce pas ?

— Oui, mais je ne vois pas ce que cela vient faire là-dedans.

— On peut prélever de l'ADN sur une brosse à dents.

— Mais pourquoi maman s'intéresserait-elle à son ADN ?

Ann passa une main dans ses cheveux.

— Je ne sais pas, Trey. Mais je ne comprends pas que tu aies essayé de tuer un parfait inconnu, simplement à cause d'une remarque de ta mère. Te rends-tu compte que tu pourrais aller en prison ?

Trey avait repris son air boudeur.

— Mais je ne l'ai pas tué. Je voulais juste l'envoyer à l'hôpital, histoire de lui faire comprendre qu'il était indésirable ici. Les Delaney peuvent rendre la vie parfaitement invivable à Rossiter à une personne qu'ils ne veulent pas voir s'y installer. Nous sommes puissants, tu sais. Je n'irais jamais en prison. Pas dans ce comté.

— Ne sois pas idiot ! Comment crois-tu qu'aurait réagi Buddy si j'étais morte en tombant de cheval, l'autre jour ?

— Je suis désolé pour cette chute, Ann. C'est pour cela que j'ai décidé de ne plus prendre le risque de blesser quelqu'un d'autre… J'ai compris que la seule façon de l'obliger à partir, c'était de faire en sorte qu'il n'ait plus de maison…

Tout à coup, il n'était plus seulement un garçon un peu simple. Ses yeux luisaient d'une excitation anormale.

L'estomac d'Ann se contracta. Il fallait le faire parler. Gagner du temps.

— Donc, tu as ôté le bouchon de l'arrivée du gaz avec l'intention de laisser la bougie allumée dans la cuisine et d'aller ouvrir la vanne, dehors. C'est ça ?

— Oui.

Elle secoua fermement la tête.

— Ça ne marchera pas. Tu provoqueras au mieux une petite explosion, qui déclenchera un début d'incendie. Buddy a insisté pour faire poser des détecteurs de fumée un peu partout. Les pompiers seraient là dans les cinq minutes, Trey.

Il l'observait, une expression rusée dans son regard rétréci. Le sourire, celui-là même qu'elle avait toujours trouvé charmant, s'était changé en un rictus déplaisant. Il avait réellement l'intention de mettre son terrible projet à exécution. A elle seule, elle ne pourrait l'en empêcher.

Et il y avait un autre point dont il ne semblait pas s'être avisé. Pas encore.

Elle était témoin.

— Ecoute-moi, Trey. Tu n'as encore causé aucun dommage. Il faut tout arrêter. Tout de suite. Si tu mets le feu, Buddy te jettera en prison.

— On pensera que c'est un accident. Je ne peux pas aller en prison. J'ai une famille. Buddy ne découvrira jamais rien.

— Mais si ! Allons, Trey, pour l'amour de Dieu, remets ce bouchon en place et allons discuter tranquillement au café.

— Non ! Je suis allé trop loin ! Buddy ne saura rien… Sauf si tu le renseignes.

Il ramassa la clé sur le sol et s'avança, très grand, menaçant. Cette fois, la peur la saisit au ventre.

Elle prenait son élan pour s'enfuir en courant lorsqu'un gros bruit en provenance du hall leur fit tourner la tête.

Méconnaissable, Dante se tenait sur le seuil, montrant les dents, le pelage tout hérissé.

Trey s'immobilisa.

Dante bondit en avant ; Trey poussa un cri et tomba à la renverse, le chien sur lui, tandis que la clé lui échappait des mains. Sa tête heurta durement le sol.

— Dante ! cria Ann en se précipitant vers eux. Dante, non !

Mais l'animal refusait de lâcher prise. Elle tira du plus fort qu'elle put sur le collier pour empêcher Dante de planter ses crocs dans la gorge de Trey.

A cet instant, la porte s'ouvrit brusquement, livrant passage à Buddy, qui se rua à l'intérieur, le pistolet à la main.

Dante tourna sa grosse tête, vit Buddy et retrouva instantanément son comportement habituel. Ann l'éloigna de Trey.

Celui-ci se redressa sur son séant en se frottant le crâne.

— J'ai mal à la tête.

— Estime-toi heureux de ne pas avoir été égorgé, gronda Buddy. Lève-toi de là avant que je ne fasse sauter ta stupide cervelle !

— Je ne l'aurais pas vraiment fait...

Les yeux de Trey se tournèrent vers Ann, cherchant son soutien.

— Disons qu'il n'avait *encore* rien fait, corrigea-t-elle. Il voulait faire exploser la maison.

Redoutant la réaction de Buddy, elle ne précisa pas qu'il entendait la laisser, elle, à l'intérieur.

Des freins hurlèrent devant la maison.

Un instant plus tard, Paul entrait en courant, Karen sur ses talons.

— Maman ? proféra Trey, toujours assis par terre, le pistolet de Buddy braqué sur lui.

— Ne dis rien avant que Marshall soit là, lui intima celle-ci. Pas un mot.

Elle se tourna vers Buddy.

— Il lui faut un avocat.

— J'essayais juste de suivre tes instructions, dit Trey.

— Tais-toi.

Paul étreignit Ann dans ses bras.

— Ça va ?

Elle se pelotonna contre lui, le temps que la peur reflue et ne se mue finalement en colère.

— Ça va. Mon idiot de cousin allait détruire ta maison juste pour t'obliger à quitter la ville.

Il caressa ses cheveux d'une main protectrice.

— Mais toi, tu n'as rien ?

— Non.

Elle regarda son chien.

— Dante m'a protégée. Je ne sais pas ce qu'il resterait de la tête de Trey si je ne l'avais pas retenu.

— Tu es un bon chien, souligna Paul.

Dante s'assit et remua joyeusement sa queue écourtée.

Dans un élan spontané, Ann s'accroupit et jeta ses bras autour de l'animal.

— Un très bon chien ! murmura-t-elle en enfouissant la tête dans son pelage.

— Eh bien, si c'est tout, Buddy, cette soirée a été exténuante, déclara Karen. Je vais ramener Trey chez lui.

Elle passa un bras protecteur autour des épaules de son fils.

— Sûrement pas, déclara Buddy. Je veux voir tout le monde dans mon bureau d'ici à cinq minutes. Et personne n'en sortira tant que nous n'aurons pas éclairci cette histoire.

— Mais…

— Karen, j'ai dit « Cinq minutes » !

— Je n'ai pas l'intention de porter plainte, annonça Paul. Par chance, il n'y a pas eu de blessé, et Karen se propose de prendre en charge la réparation des avions.

— Je me moque que vous portiez plainte ou non ! riposta Buddy, renfrogné. Saboter un avion est une infraction qui relève de la justice fédérale.

— Ecoute, papa, moi non plus, je ne porte pas plainte, renchérit Ann. C'est moi qui ai été éjectée de Liège. Tu te souviens, Trey ? Moi, et non Paul. Et c'est moi que tu as menacée en brandissant cette clé.

Trey se recroquevilla comme un enfant sur sa chaise, fuyant son regard.

— Bon... Est-ce que quelqu'un va m'expliquer cette histoire de fou ? lança Buddy, prêt à sortir de ses gonds.

Karen prit une profonde inspiration.

— Bien. Je suppose qu'il n'y a pas de bonne façon de présenter les choses… Trey, je te présente ton demi-frère aîné, Paul Delaney.

Trey et Buddy la dévisagèrent, bouche bée.

A minuit, Buddy en était à jurer qu'il allait placer tout le monde en détention et faire le tri le lendemain matin.

Marshall Lowrance réussit à calmer les esprits suffisamment longtemps pour obtenir que Buddy lui confie la garde de Trey et Karen.

— Sue est morte d'inquiétude, souligna-t-il en entraînant sa femme et son beau-fils vers la sortie. Et moi, j'en viens parfois à souhaiter ne vous avoir jamais rencontrés.

Buddy les regarda partir d'un œil torve, puis reporta son attention vers Ann et Paul.

— Je commence à en avoir plus qu'assez. Est-ce que quelqu'un va se décider à me raconter toute l'histoire, en commençant par le début ?

Ann se tourna vers Paul.

— Je sais qui a tué ta mère.

— Moi aussi. C'est en parlant avec Karen, avant de venir à la maison, tout à l'heure, que j'ai fini par comprendre. Paul et Karen étaient en Floride, la dernière fois que Michelle a été vue vivante. Et une chose m'est apparue à laquelle je n'avais pas pensé avant : ils venaient juste d'emménager dans leur nouvelle maison, à la campagne — celle où vivent Trey et Sue, aujourd'hui. Leur nouvelle adresse ne figurait pas encore dans l'annuaire. C'est donc forcément à la vieille maison Delaney que Michelle a dû se présenter. Elle a dû sonner à la porte de Maribelle et demander à voir mon père. Je ne sais pas exactement ce qui s'est passé ensuite, mais je pense que c'est Maribelle qui l'a tuée.

— Oui, confirma Ann en sortant du sac posé à ses pieds le paquet qu'elle avait découvert dans la cage du monte-plats. Tiens, regarde.

— C'est le journal d'Addy ?

— Non, je suppose qu'il a disparu pour de bon et que nous ne le retrouverons pas. Ça, c'était... disons, l'assurance-vie d'Addy. Le document lui permettant d'être sûre que Maribelle ne la tuerait pas pour la réduire définitivement au silence. C'est le compte rendu détaillé de ce qui s'est passé, rédigé apparemment en trois exemplaires. Elle en avait confié un à son avocat avec ordre de l'ouvrir au cas où elle mourrait, avait placé le deuxième dans son coffre-fort, à la banque, dont elle savait que le contenu serait inventorié si elle venait à décéder, et avait caché le troisième tout en haut de la cage du monte-plats.

— Alors comment se fait-il que les deux premiers n'aient pas été découverts à la mort de Mlle Addy ? intervint Buddy.

— Addy précise que si Maribelle mourait la première en lui laissant la maison et la rente promises, elle les détruirait tous les trois. Mais, d'après les dires de Mlle Esther, elle a perdu la mémoire et n'a jamais pu se souvenir de l'endroit où elle avait dissimulé l'exemplaire qu'elle avait conservé dans la maison.

— Quand tout ceci est-il censé être arrivé ? demanda Buddy.

Paul le renseigna.

— Vous avez une photographie de votre mère ?

— Chez moi, dans ma valise.

Buddy dépêcha le policier de garde à l'accueil pour qu'il aille la chercher.

Ann tendit à Paul les feuillets qu'elle avait sortis du paquet, gardant le reste de son macabre contenu dans le sac, sur ses genoux.

— Les choses se sont déroulées à peu près de la façon dont tu les as imaginées.

En parcourant les lignes consignées d'une écriture serrée par la main d'Addy, Paul eut l'impression d'être transporté dans le temps, jusqu'à cette chaude après-midi d'août. L'après-midi où sa mère avait trouvé la mort.

Addy et Maribelle n'attendaient personne. Lorsque la sonnette avait retenti, Maribelle venait de rentrer du jardin. Vêtue d'une vieille chemise de son défunt mari, elle avait repoussé son chapeau de paille en arrière et était allée ouvrir.

— Oui ?

La femme — la jeune fille, plutôt, même si son air harassé la vieillissait — était étrangère. Jolie, mais efflanquée, les traits tirés. Les mains gantées de blanc, un sac à main noir accroché au poignet, elle portait une robe noire et blanche beaucoup trop chaude pour cette torride journée d'été, et des escarpins en cuir noir à hauts talons.

— Désolée, je ne veux rien acheter.

Maribelle s'apprêtait à refermer la porte lorsque la jeune femme avait élevé une main.

— Non, non, attendez. Je souhaite voir M. Delaney.

L'inconnue avait un accent français.

Addy s'était approchée derrière sa sœur pour regarder par-dessus son épaule.

— Je crains que M. Delaney… ne soit absent pour l'instant.

Pourquoi Maribelle ne disait-elle pas qu'il était en Floride ?

La jeune femme, semblant mourir de chaud, paraissait sur le point de défaillir.

— Je peux peut-être vous aider ? continua Maribelle.

— Non, madame. C'est M. Delaney que je veux voir.

— Vous êtes française, n'est-ce pas ?

Comme si son accent ne l'avait pas déjà renseignée sur ce point !

La jeune femme chancela, le visage ruisselant de sueur.

Addy passa sans cérémonie devant sa sœur.

— Entrez. Venez vous rafraîchir. Les amis de David sont les bienvenus.

Les yeux de la jeune femme allèrent de Maribelle à Addy, puis elle remercia cette dernière, semblant être parvenue à la conclusion que c'était elle la maîtresse de maison.

— Merci.

— Asseyez-vous dans le salon, ma chère, reprit Maribelle, plongeant la jeune Française dans la confusion.

Il faisait sombre dans la pièce, les rideaux crème ayant été tirés à cause du soleil. Maribelle l'invita d'un geste à prendre place dans un sofa beige, devant la cheminée.

Leur visiteuse se laissa tomber avec reconnaissance sur le siège, son sac à main toujours au poignet. Soudain, elle se releva, comme mue par un ressort, et s'avança vers une petite table avec une photographie de David dans un cadre. Elle la prit et la contempla longuement.

— Nous n'avons jamais reçu la visite des amis étrangers de David, nota Addy. Etait-il au courant de votre venue ?

— Non, madame. Je voulais lui faire la surprise.

Elle pressa le cadre contre sa poitrine.

— Je serai tellement heureuse de le revoir... Quand doit-il rentrer ?

Addy s'apprêtait à répondre : « Dans une semaine » quand sa sœur l'en dissuada d'un signe de tête.

— Il ne devrait pas tarder, mentit Maribelle. Le connaissiez-vous bien, mademoiselle… ?

La jeune femme s'était rassise, mais très droite, cette fois-ci.

— Mon nom est Michelle, madame. Je suis Mme Paul David Delaney.

— Pardon ? demanda Addy dans un souffle.

Elle nota du coin de l'œil le haut-le-corps de Maribelle.

La jeune femme souriait.

— Nous nous sommes mariés à Paris juste avant qu'il ne soit rappelé ici au chevet de son père.

— Oh, Seigneur...

Maribelle s'était laissée tomber dans un fauteuil.

— C'est impossible, murmura-t-elle.

— Non, madame. Je vous assure que c'est vrai. J'ai apporté le livret de famille… C'est l'équivalent d'un certificat de mariage, en France. Je me suis présentée… Puis-je vous demander à qui j'ai l'honneur ?

— Je m'appelle Addy Norwood.

— Et moi, Maribelle Delaney. La mère de David.

Michelle parut embarrassée de s'être trompée d'interlocutrice.

— Oh... Dans ce cas, vous êtes ma belle-mère.

— Si ce que vous dites est vrai.

— Mais ça l'est ! David vous expliquera tout lorsqu'il rentrera.

— David ne…

— Mon fils est dans les champs, coupa Maribelle. Il se peut qu'il rentre très tard… Peut-être préférez-vous regagner votre hôtel ? Je lui dirai de vous rappeler dès son retour.

— Je ne suis pas descendue à l'hôtel. Je viens d'arriver ; je suis venue directement ici.

— Pourquoi diable avez-vous tant tardé ? demanda Addy. Voilà plus de cinq ans que David est rentré.

— C'est compliqué, madame. Mais tout s'expliquera lorsque David et moi nous retrouverons face à face.

— Bien, déclara Maribelle. C'est un choc, je ne vous le cache pas.

Tout à coup, de la manière la plus inattendue, elle sourit à la jeune femme.

— Se découvrir ainsi une belle-fille française… C'est plutôt inhabituel par ici, vous comprenez. Mais c'est un plaisir. J'en oublie mes manières. Plutôt qu'un verre d'eau, je crois que nous avons de la limonade au frais, n'est-ce pas, Addy ?

— Oui. Veux-tu que j'aille la chercher ?

Maribelle se leva.

— Non, j'y vais. J'avoue que j'ai besoin de quelques minutes pour me ressaisir. Excusez-moi, ma chère.

Addy se demanda ce que tramait Maribelle. Ce soudain déploiement de courtoisie ne laissait rien présager de bon.

Pour alimenter la conversation, Addy observa :

— Michelle, n'est-ce pas ? C'est une très jolie robe que vous avez là.

Michelle sourit.

— Je l'ai cousue moi-même.

— Vraiment ? s'exclama Addy, admirative. Avec toutes ces boutonnières ? Et quels jolis boutons !

— Ils sont très anciens. Regardez, chacun s'orne d'un motif différent.

Maribelle revint, chargée d'un plateau sur lequel étaient posés un énorme pichet de verre soufflé et d'élégants verres assortis. Elle remplit les verres de limonade et les distribua à la ronde, puis s'assit en face de leur visiteuse.

Se penchant en avant, Maribelle demanda sur un ton de connivence :

— Alors, racontez-nous comment David et vous vous êtes rencontrés ? Vous semblez bien jeune.

— J'avais dix-huit quand j'ai épousé David, madame.

— Appelez-moi Maribelle. « Madame », c'est trop formel pour un nouveau membre de la famille.

Addy jeta un coup d'œil intrigué à sa sœur. Un membre de la famille ? Quelle plaisanterie ! Addy n'en croyait pas un mot.

— Eh bien, mon père avait une petite confiserie. David venait de temps à autre acheter des marrons glacés... Un jour, il m'a demandé si j'accepterais qu'il me dessine.

— Ah, je vois. Vous êtes un modèle. Vous posez pour les peintres ?

Maribelle hocha la tête comme si tout s'expliquait.

— Non, madame. Pas du tout. Mon père ne l'aurait pas toléré. Nous sommes tombés amoureux.

— Je comprends. Bien sûr, il a dû être ensorcelé par une aussi charmante créature.

Elle s'arrangea pour conférer au mot « créature » une connotation fortement péjorative.

Michelle rougit.

— David voulait que nous... Mais j'estime qu'une femme honnête doit se marier vierge.

— Admirable. Donc, vous vous êtes mariés. Qu'ont pensé vos parents ?

— Oh, ils n'en ont rien su. Nous étions majeurs, tous les deux. Nous n'avions pas besoin de permission.

N'avait-elle pas relevé légèrement le menton ? Cherchait-elle à rappeler à Maribelle que son fils n'avait pas besoin non plus de sa permission, *à elle* ?

— Nous aussi avons été écartés de la confidence, semble-t-il, souligna Maribelle.

— David disait qu'il devrait annoncer la nouvelle en douceur à ses parents — enfin, à vous. Quand il est reparti en Amérique, il m'a dit qu'il vous en informerait, puis qu'il reviendrait à Paris aussi vite que possible. Il désirait peindre et sculpter. Il avait déjà eu quelques commandes. Il se serait rapidement fait un nom. C'est un merveilleux portraitiste. Quand j'ai vu qu'il ne revenait pas, j'ai essayé de lui écrire. Mais l'adresse était erronée.

— Evidemment, petite dinde, murmura Maribelle.

Au regard que lui jeta la jeune femme, Addy se demanda si elle n'avait pas entendu le commentaire de sa sœur.

— Donc, je suppose que vous avez demandé le divorce ?

— Oh, non, madame ! Je ne divorcerais jamais de David. Je l'aime. Et je sais qu'il m'aime aussi.

— S'il vous aimait, ma chère, il vous aurait donné une adresse exacte, releva Addy, sincèrement désolée pour cette enfant. Je suis sûre que vous avez dû avoir beaucoup de chagrin.

— Je sais que David m'expliquera tout quand je le verrai.

Elle paraissait au bord des larmes.

— Sans aucun doute. Il nous expliquera tout, à toutes les deux, intervint Maribelle. En attendant, je ne sais pas si vous êtes d'accord, mais il fait tellement chaud que j'ai besoin d'un autre verre de limonade.

Elle se leva, prit le pichet vide et s'éloigna en direction de la cuisine.

La jeune femme murmura à l'adresse d'Addy :

— Elle pense que j'en veux à son argent, mais ce n'est pas le cas. David m'aime encore, j'en suis sûre, et j'ai un argument auquel il ne résistera pas.

La façon dont elle relevait la tête, maintenant, ne laissait aucun doute quant à ses intentions. Cette jeune femme candide entendait bel et bien tenir tête à Maribelle.

Sa sœur revint, le pichet à la main.

— Vous méritez d'être dédommagée pour toute la peine qu'il vous a causée. Il faut que vous puissiez vivre confortablement à Paris. Je suis certaine que nous allons parvenir à un arrangement qui vous permettra de rentrer en France et de divorcer aussi discrètement que vous vous êtes mariés.

A présent, une lueur acérée brillait dans le regard de la jeune étrangère. Elle ne serait pas une adversaire facile pour Maribelle. Elle était portée par les ailes de l'amour. Pauvre petite chose romantique ! Si elle avait su quelle déconvenue l'attendait ! Tôt ou tard, elles devraient bien lui avouer que David s'était marié avec une autre et avait un enfant.

Michelle s'était tournée vers Maribelle.

— Je sais que vous essayez de bien faire, madame. Mais je ne suis pas venue pour conclure un arrangement. Je suis venue retrouver mon mari.

— Je comprends, dit Maribelle d'un ton égal. Je comprends parfaitement ce que vous ressentez.

Elle s'avança vers Michelle, leva le lourd pichet et, sans prévenir, l'abattit sur la tête de la jeune femme. Une cascade de verre et de limonade ruissela tout autour d'elle.

L'espace d'un instant, celle-ci demeura immobile, puis elle s'affaissa en avant et s'effondra, inanimée, entre le sofa et la table basse.

Addy bondit sur ses pieds et se précipita vers elle.

— Qu'est-ce que tu as fait ? cria Addy. Mon Dieu, la pauvre enfant ! Appelle une ambulance !

— Assieds-toi et tais-toi, Addy.

Maribelle chassa d'un coup de pied les éclats de verre, au sol.

— Elle est tombée sur le tapis oriental, Dieu merci. Nous n'aurions jamais pu nettoyer le sang sur cette soie grège.

Tremblante, Addy prit le poignet de la jeune femme, cherchant son pouls. Un filet de sang coulait le long de son visage. Ses yeux étaient grands ouverts, sans expression.

— Mon Dieu, Belle ! Je crois qu'elle ne respire plus.

Maribelle s'agenouilla auprès du corps et posa deux doigts contre le cou de la jeune femme.

— Pas de pouls. Il n'y a pas beaucoup de sang. Elle a dû mourir presque sur le coup. Sinon, le tapis serait rouge de sang. Les blessures à la tête saignent énormément.

— Elle est morte ? Maribelle, mon Dieu !

Addy se releva, mais se laissa aussitôt retomber sur son fauteuil.

— Il faut appeler la police. Tu n'avais pas l'intention de la tuer…

— Bien sûr que si, j'en avais l'intention, idiote.

— Quoi ? Mais… Et si quelqu'un l'a vue rentrer ici ?

— A cette heure-ci, avec la chaleur qu'il fait ? Penses-tu ! Tout le monde est allongé, à l'ombre, dans le jardin. Elle n'est jamais venue. Nous ne l'avons jamais vue. Point final. Esther ne revient pas avant demain matin. Cela nous laisse le temps de l'enterrer quelque part.

Dans une discussion surréaliste, elles avaient envisagé plusieurs endroits, et c'était finalement sur la roseraie, derrière la cuisine d'été, que le choix de Maribelle s'était porté.

Le trou devrait être assez profond pour que les coyotes et les ratons laveurs ne puissent pas l'atteindre.

— Elle doit bien avoir des bagages qu'elle a laissés quelque part, nota Addy.

— Elle nous a déclaré qu'elle n'était pas à l'hôtel. Elle les aura peut-être laissés dans une consigne. Quand on s'apercevra qu'elle n'est pas venue les récupérer, on les enverra aux objets trouvés et, au bout de quelque temps, on s'en débarrassera.

Maribelle jeta un coup d'œil à Addy.

— Ouvre son sac.

— Ouvre-le toi-même. C'est toi qui l'as tuée.

Elles vidèrent son contenu : cinquante dollars, un bâton de rouge à lèvres, un ticket de bus de Memphis à Rossiter, un mouchoir en dentelle.

— Il vaudrait mieux la déshabiller, observa Maribelle.

— Quoi ? Mais c'est obscène !

— Nous ne voudrions pas qu'elle puisse être identifiée par les étiquettes de ses vêtements, n'est-ce pas ? Alors, nous allons les brûler.

— Du feu ? Au mois d'août ?

— Il n'est pas interdit de faire un barbecue, le soir, que je sache ?

— Décidément, tu as réponse à tout.

— Il le faut bien, puisque tu poses toutes ces questions stupides !

Il fut entendu que Maribelle irait acheter un rideau de douche en plastique pour envelopper le corps de Michelle, afin de ne pas éveiller les soupçons d'Esther en utilisant les grands sacs qui servaient à ramasser les feuilles.

Pendant son absence, Addy eut tout le temps de nettoyer les débris de verre et la limonade.

Tandis qu'elle s'affairait à effacer les traces du crime, il lui vint subitement à l'esprit qu'elle s'était rendue complice d'un assassinat.

Elle constituait désormais une menace pour Maribelle. Celle-ci avait pris le parti d'ignorer la liaison qu'Addy avait entretenue avec son mari, mais Conrad était mort. Il n'était plus là pour la protéger.

Elle devait songer à sa sécurité.

Avant que sa sœur ne rentre, elle s'assit au petit bureau, dans la bibliothèque, prit plusieurs feuilles blanches, des papiers carbone, et se mit à écrire. Elle avertirait Maribelle que l'histoire de la mort de Michelle Delaney serait révélée au grand jour, si quelque chose lui arrivait.

Si, en revanche, Maribelle mourait avant elle, les trois copies du récit seraient détruites et les deux sœurs emporteraient alors leur secret dans la tombe. A condition que Maribelle ait accepté de modifier son testament, et garanti à Addy la jouissance de la maison jusqu'à sa mort et le versement d'une rente confortable.

Elle rassembla tous les tessons de verre, y compris ceux qui étaient maculés de sang, dans un sac en papier, y fixa son compte rendu avec du ruban adhésif et enveloppa le tout de deux épaisseurs de papier. Elle s'empressa d'aller mettre le paquet à l'abri dans la cage du monte-plats. C'était là qu'elle avait, pendant des années, dissimulé son journal, mais, l'arthrite faisant son œuvre, elle avait renoncé à utiliser cette cachette pour transférer ses cahiers vers un tiroir de son chiffonnier. C'était à partir de ce moment-là que Maribelle les avait découverts.

Mais sa sœur pourrait bien lire son journal tant qu'elle voudrait, songea Addy. Elle n'écrirait pas un mot de cette histoire à l'intérieur.

Lorsque Maribelle réapparut, avec le rideau en plastique, Addy frottait innocemment le tapis.

Il leur fallut une bonne partie de la nuit pour creuser la tombe et y faire finalement glisser le corps nu, ficelé dans le plastique. La tâche était rude et les deux femmes continuellement dérangées par les nuées de moustiques.

Epuisées par leur harassante besogne, elles n'eurent pas le courage de s'occuper des vêtements dans la foulée. Addy les rangea donc dans une boîte à chaussures, au fond de son placard. Elle ressortit cette dernière le lendemain soir, après le départ d'Esther, et retira de la robe tous les boutons. Ils étaient si jolis ! Elle n'avait pas le cœur de les détruire.

Ce soir-là, elles brûlèrent les vêtements, derniers vestiges du passage de Michelle dans la maison Delaney.

Par la suite, lorsque Maribelle fut mise au courant des précautions qu'avait prises sa sœur, elle entra dans une rage telle qu'Addy crut qu'elle allait la tuer sur-le-champ. Mais elle finit par se plier à ses exigences.

Les relations entre les deux sœurs, tendues depuis longtemps, s'étaient encore envenimées. Mais le pacte qu'elles avaient passé les liait indéfectiblement.

Après la mort de son fils, Maribelle avait vieilli d'un seul coup. Elle avait badigeonné de blanc les deux toiles sur lesquelles travaillait David, ne voulant pas que le visage de celle qu'elle avait fait disparaître puisse être vu de quiconque, et condamné définitivement le pavillon d'été.

Karen et elle avaient continué à s'occuper des fermes Delaney, conduisant les affaires si brillamment que Trey avait hérité d'un patrimoine encore plus important que celui que Conrad avait légué à David. Mais Maribelle n'était plus qu'un robot. Un robot sans âme, concluait Addy, ajoutant que Maribelle, selon elle, n'avait jamais éprouvé de remords pour le crime atroce dont elle s'était rendue coupable.

— Voilà la photographie que vous vouliez, chef, annonça le policier, de retour au poste.

Buddy prit le cadre argenté et contempla le cliché.

— Oui… C'est ce que je pensais… On n'oublie jamais une aussi jolie femme.

— Pardon ? demanda Ann.

— Oh, ne te méprends pas sur mes paroles. J'étais déjà amoureux de ta mère. J'étais nouveau venu à Rossiter ; je ne connaissais pas les gens comme je les connais aujourd'hui. J'ai pensé qu'elle rendait visite à quelqu'un. Mais je l'ai remarquée parce qu'elle marchait d'un pas mal assuré, sur ses hauts talons, dans cette robe élégante, et qu'elle avait l'air soucieuse et épuisée.

— Mon Dieu...

Paul s'adossa à son siège.

Buddy secoua la tête.

— Je ne pouvais pas savoir… N'empêche que je me sens coupable.

Il se leva lourdement.

— Ray, lança-t-il à l'adresse de son collègue. Va chercher des pelles et des projecteurs. Je crois que nous avons un corps à exhumer.

Buddy refusa de laisser Paul approcher du lieu où le corps avait été enseveli. Celui-ci s'écarta donc, mais demeura à proximité.

Ann suivait la scène, à l'arrière de la maison, assise sur les marches.

Elle était heureuse que la quête de Paul soit terminée. Il pourrait enfin donner à sa mère la sépulture qu'elle méritait. Mais la découverte de la vérité raviverait sa souffrance. Il avait beau avoir deviné que sa mère était morte, son comportement n'en traduisait pas moins le besoin de surmonter seul cette épreuve. Il fallait respecter son souhait, même si elle avait envie de le soutenir, d'être auprès de lui.

Bien sûr, ce qui se passait dans le jardin accaparait toute son attention. Il semblait avoir oublié jusqu'à son existence.

Il avait obtenu ce qu'il voulait. Tout le monde saurait, même si la chose n'était pas mise sur la place publique, qu'il était le fils de David Delaney.

Il tenait sa revanche.

Désormais, plus rien ni personne ne le retenait à Rossiter.

Si Ann entendait marcher encore la tête haute dans cette ville, elle devait donner l'impression que tout cela la laissait indifférente. Ils avaient eu une aventure. Point final.

Elle aurait tout le loisir de pleurer, chez elle, avec Dante.

Oh, Paul jurerait qu'il l'aimait... Peut-être même le croyait-il vraiment. Il l'assurerait qu'ils resteraient en contact, qu'il reviendrait la voir. Mais une fois qu'il aurait réintégré son monde, il l'oublierait, tout comme il oublierait Rossiter. Ni l'un ni l'autre ne lui étaient plus d'aucune utilité, désormais.

Elle s'autoriserait à exprimer sa colère. Elle avait bien le droit d'éprouver du ressentiment, non ? Ne s'était-il pas servi d'elle ?

Et puis, ne serait-ce pas la seule façon de prévenir l'envie irrésistible de se jeter dans ses bras et de l'implorer de rester ? Il fallait entretenir cette colère qui bouillonnait en elle. Eviter Paul.

Elle se leva. Peut-être y parviendrait-elle… Pour l'instant, l'important était de rentrer chez elle avant de fondre en larmes.

— Chef, je crois qu'on a trouvé, lança Ray depuis la profonde excavation creusée dans la roseraie.

— Arrêtez tout, ordonna Buddy. J'appelle le médecin légiste.

Il se tourna vers Paul, qui s'était levé, et lui posa une main compatissante sur l'épaule.

— Désolé, Paul.

— J'y étais préparé depuis longtemps, mais je n'arrive pas à croire que son corps a été retrouvé, après tout ce temps. Que va-t-il se passer, maintenant ?

— Le médecin légiste va procéder à l'identification officielle des restes. Nous aurons besoin de votre ADN.

Paul eut un ricanement amer.

— Demandez à Karen Lowrance. Elle a ce qu'il vous faut.

— Oui… D'accord. Ensuite, nous vous remettrons le corps.

— Merci, Buddy.

Son bras et son épaule lui faisaient mal. Il se sentait totalement vidé. Pour la première fois, il n'avait plus d'objectif, plus de quête à poursuivre. Il était tout à coup comme engourdi, paralysé.

— Buddy, cet endroit va grouiller de monde, déclara Paul. Je crois que je vais aller m'installer dans un motel. Est-ce que je peux… la voir ?

— Je ne le conseillerais pas. Rien d'autre à voir que des ossements.

— Oui... Oui, bien sûr.

Il remonta vers la maison. Il mourait d'envie d'appeler Ann, d'aller cogner à sa porte, de démolir cette barrière qu'elle avait érigée entre elle et lui. Il réunit ses quelques affaires dans sa valise et alla mettre son bagage dans le coffre de sa voiture. Derrière les projecteurs qui illuminaient la scène du crime, on voyait poindre les premières lueurs de l'aube.

Une aube d'un rose qui tirait au rouge.

« Marin, prends garde à toi », comme le proclamait le vieil adage. Un ciel rouge annonçait une tempête avant la fin de la journée. Du moins, dans le nord. Ici, c'était le plus souvent le signe d'une nouvelle journée torride et sèche, avec des nuages de poussière ocre dansant dans les rayons du soleil.

Tandis qu'il contemplait l'horizon, Buddy s'avança doucement vers lui.

— Paul, est-ce que vous avez songé aux conséquences que tout ceci pourrait avoir sur votre présence, à Rossiter ?

Paul s'appuya sur la carrosserie de sa voiture.

— Je n'ai pas cessé d'y penser.

— Je sais que vous avez permis de révéler un crime qui aurait dû être découvert voilà trente ans, mais tout le monde, ici, ne verra peut-être pas les choses de la même façon.

— Je sais. Je suis un étranger, ici. Pas les Delaney.

— Oui… Certains n'apprécieront peut-être pas que vous soyez venu incognito pour faire parler les gens et dévoiler une affaire qui jette l'opprobre sur l'une des plus vieilles familles de Rossiter…

— Et pour séduire l'une des plus jolies filles du pays.

Buddy détourna les yeux.

— Aussi.

— Et vous, Buddy, qu'en pensez-vous ?

— Je suis représentant de la loi. Je ne peux que me féliciter qu'un crime ait été dévoilé. Pour ce qui est d'Ann… Je ne me suis pas encore forgé une opinion.

— Lorsque je me suis lancé dans cette entreprise, je ne connaissais pas Ann. Je ne connaissais aucun d'entre vous, ici ; Rossiter, les Delaney, tout cela n'était pour moi qu'une abstraction. Quand je me suis dit qu'il valait peut-être mieux faire machine arrière, il était trop tard. Trop d'événements s'étaient produits.

— Comme Ann.

— Comme Ann. Je l'ai froissée. Meurtrie. Je ne sais pas comment faire pour arranger les choses.

— Moi non plus. Pourquoi ne pas essayer de lui dire ce que vous venez de me dire, à moi ? Ça pourrait l'aider.

Plus tard, allongé dans son grand lit, au motel, il regretta amèrement qu'Ann ne fût pas à son côté. Elle lui manquait tant... Il lui semblait qu'il ne pourrait plus jamais retrouver le sommeil. Il avait tout gâché. Il roula sur le côté et attrapa le téléphone.

— S'il te plaît, ne raccroche pas, l'implora-t-il lorsqu'elle décrocha. Je ne voulais pas te blesser.

— Tu ne m'as pas blessée. Tu t'es servi de moi.

Elle parlait d'un ton froid, détaché. C'était pire que si elle avait pleuré ou crié.

— Ce n'est pas tout à fait ainsi que les choses se sont passées.

— Si, très exactement. Alors, dites-moi, monsieur Bouvet-Delaney, maintenant que vous avez obtenu gain de cause, quand mettez-vous votre maison en vente ?

— Quoi ?

— Je présume que tu vas partir dès que possible.

Elle raccrocha.

*
* *

A 2 heures de l'après-midi, Buddy, le menton ombré d'une barbe d'un jour, l'uniforme fripé comme s'il avait dormi avec, frappa à la porte d'Ann.

Lorsqu'elle lui ouvrit, elle portait des lunettes de sécurité et tenait un morceau de bois à la main.

— J'étais en train de découper un gabarit de support pour ces candélabres, dans le pavillon d'été.

— A t'entendre, on croirait qu'il ne s'est rien passé.

— J'y réfléchirai quand je m'en sentirai capable, ce qui n'est pas le cas pour l'instant. Je préfère me concentrer sur ce stupide morceau de bois qui refuse de prendre la forme que je veux lui donner.

Elle l'envoya valser de l'autre côté de l'atelier, où il heurta le mur avant de retomber par terre.

— Reconnais que j'ai gardé un bon lancer, commenta-t-elle avec un pauvre sourire. Je devrais peut-être me remettre au base-ball.

— Assieds-toi, Ann, et cesse de dramatiser.

— Pourquoi ? Tu veux du thé glacé ?

— Ann... Paul est revenu à la maison voilà quelques minutes. Il m'a chargé de te donner ceci, annonça-t-il en lui tendant une enveloppe cachetée.

— Qu'est-ce que c'est ?

— Comment veux-tu que je le sache ? Ouvre-la et tu le sauras.

Elle obtempéra et sortit un document d'aspect légal qu'elle déplia et parcourut rapidement.

— Papa… Paul me fait don de la maison Delaney.

Elle releva les yeux, hébétée.

— Que s'imagine-t-il ? Je ne peux pas accepter une *maison* !

Ses yeux descendirent jusqu'à la note, en bas de page.

— Oh, mon Dieu... Lis ça.

Elle tendit la feuille à son père.

— « Chère Ann, lut Buddy à voix haute. Tu m'as dit que si tu possédais une maison comme celle-ci, tu ne la vendrais jamais. J'espère que tu me croiras : je me suis rendu compte trop tard des conséquences que mes actes pouvaient avoir sur toi. Tu te trompes si tu penses que ce que j'éprouve pour toi n'a pas d'importance. Je t'aime. Je passerai le restant de mes jours rongé par un chagrin bien supérieur à celui que j'ai pu te causer. Au revoir, Paul. »

Buddy leva les yeux.

— Comment ça, « au revoir » ? Je ne lui ai pas donné la permission de se rendre ailleurs qu'à son motel !

Ann glissa les pieds dans ses baskets et attrapa son sac à main.

— Tu ne comprends pas ? Hack et lui ont fini de réparer son appareil. Il va repartir pour le New Jersey avec son avion !

— Où va-t-on ? demanda Buddy tandis qu'elle l'entraînait à sa suite.

— Mais... l'en empêcher, bien sûr ! Et mets ton gyrophare sur le toit !

A peine Buddy avait-il appuyé sur la pédale de frein, à l'aérodrome, qu'Ann avait déjà sauté de la voiture.

Elle courut vers le hangar. L'emplacement de l'avion de Paul était vacant.

— Oh, non ! C'est trop tard...

— Salut, Ann, lança Hack dans son dos.

— Il est parti voilà combien de temps ?

— Paul ? Je ne sais pas. Peut-être dix minutes.

— Vous pouvez le joindre par radio ? Demandez-lui de revenir.

Hack l'observa avec curiosité et fit ce qu'elle lui demandait.

— Paul, fais demi-tour, déclara Hack lorsqu'il put communiquer avec lui.

Buddy arracha le microphone des mains de Hack.

— Parce que sinon, je vais forger une accusation contre vous qui vous fera extrader du New Jersey avant même que vous n'ayez posé le pied sur son sol !

— Buddy ?

— Oui. Ann est à côté de moi. Et rien ne m'empêche d'emprunter la carabine de Hack, si c'est nécessaire. Qu'est-ce que vous croyez, monsieur Bouvet ? On ne tourne pas le dos du jour au lendemain à une fille de Rossiter sans risquer de recevoir un coup de fusil !

— Oh, papa...

Ann pleurait si fort qu'elle parvenait à peine à respirer.

— Buddy a raison. Tu as joué avec mes sentiments, Paul Bouvet ou Delaney. M'offrir une maison n'est pas une compensation acceptable. C'est le mariage ou rien.

Elle entendit Paul rire.

— Il a l'air soulagé, murmura Hack.

— On ne me traînera pas hors de la ville au bout d'une corde ?

— Quand j'aurai expliqué à tout le monde ce qui s'est réellement passé, ils te pardonneront pour *me* faire plaisir. Je suis d'ici, moi, monsieur. Je ne suis pas une fichue Yankee nouvellement débarquée !

— Est-ce que, par hasard, cela signifierait que je pourrais vivre ici, moi aussi ?

— Sûrement pas en tant que célibataire, non.

— Ann, si tu savais à quel point je suis désolé…

— Ce n'est pas le moment. Plus tard. Pour l'instant, reviens ici tout de suite.

— A vos ordres, madame.

Hack, Ann et Buddy s'avancèrent vers le bout de la piste lorsque le Cessna de Paul descendit lentement vers le sol. Ann courut vers lui avant même que l'appareil se soit immobilisé.

Paul en émergea et sauta sur le sol.

— Tu ne m'en veux plus ?

— Si, dit-elle en se haussant sur la pointe des pieds. Mais ça passera.

Épilogue

22 décembre

La maison semblait se rendre compte que cette soirée constituait son inauguration officielle. La triste souillon d'autrefois s'était muée en grande dame éblouissante, vibrant de vitalité.

Les colonnades du porche et le balcon s'ornaient de guirlandes de pin. Des lanternes féeriques scintillaient dans les arbres. Une couronne de buis et de houx était accrochée à la porte, surmontée d'une branche de magnolia.

Dans le hall d'entrée, un sapin de Noël s'élevait de la courbe de l'escalier jusqu'au plafond. Des bougies et des branchages pailletés décoraient toutes les tables. Paul cuisinait depuis des semaines, secondé par Ann. Il était passé à la vitesse supérieure lorsque Giselle était arrivée avec Jerry et ses deux fils.

Le mélange des deux familles s'était opéré avec moins de difficulté qu'Ann et Paul ne l'avaient craint. Buddy avait emmené Jerry et les garçons à la chasse au canard.

Giselle avait d'abord montré quelque réticence à l'idée de rencontrer la famille de la femme de Paul. Ils étaient évidemment tous apparentés, de près ou de loin, aux Delaney.

« Sans être toutefois vraiment des leurs », avait précisé Sarah Pulliam en promettant de lui expliquer un jour la généalogie familiale.

Ann et Giselle s'étaient d'emblée bien entendues et avaient passé des heures à parler de leurs familles.

Paul, tout en servant à la louche le cocktail au champagne qu'il avait préparé, regardait sa femme circuler au milieu des invités, distribuant un baiser ici, une poignée de main là. Elle portait une robe Empire en velours vert foncé dont l'échancrure du décolleté révélait une étendue de peau crémeuse, mais ses plis ne dissimulaient pas tout à fait le léger renflement de son ventre. D'ici à un mois, la présence du bébé ne pourrait plus passer inaperçue, mais Ann assurait qu'elle n'avait d'ores et déjà plus de taille.

Du point de vue de Paul, elle était la plus belle femme qu'il ait jamais vue.

Les cheminées crépitaient agréablement. La maison était pleine de vie, de gaieté et de joie.

— On dirait que Rossiter a pardonné les égarements de ton mari, murmura Sarah à l'oreille de sa petite-fille. Je crois que tu as brisé la malédiction qui pesait sur cette maison. Aujourd'hui, elle sait que l'amour est enfin entré dans ses murs et qu'il est décidé à y rester.

— Eh bien, je l'espère, répondit gaiement Ann. Nous avons encore beaucoup à faire avant de l'avoir terminée.

— Elle ne sera *jamais* terminée. C'est une maison ancienne. Les vieilles pierres nécessitent un entretien perpétuel.

La sonnette de l'entrée tinta. Ann tourna la tête, mais Paul s'avançait déjà pour aller ouvrir.

Sur le seuil se tenaient Karen et Marshall Lowrance, accompagnés de Trey et de Sue.

L'espace d'un instant, personne ne souffla mot, puis Paul tendit la main et dit :

— Bienvenue à tous, et joyeux Noël.

Plus tard, alors que la soirée battait son plein, Karen attira Paul à l'écart, dans la serre, au-delà de la pièce de musique.

— Je vous avais invités, mais j'avais peu d'espoir de vous voir, je l'avoue, nota Paul.

— Trey tenait à être présent. Et puis… je vous suis redevable. Vous avez réagi aux folies qu'il a commises avec une élégance et une indulgence rares. Tout aurait pu si mal finir, si vous ne vous étiez pas montré si compréhensif.

Elle se détourna, joignant les mains contre son estomac.

— C'est pourquoi j'estime de mon devoir de vous confier quelque chose, même si cela m'est… pénible. Lorsque David a eu son accident, j'ai été la première à arriver près de lui. Avant Maribelle. Il… Il a levé les yeux, il m'a souri le plus tendrement du monde en soufflant : « Michelle ». Un instant plus tard, il était mort.

Elle se retourna vers lui.

— Pouvez-vous imaginer ce que j'ai ressenti ? Combien j'ai souffert ? Combien j'ai eu peur de cette femme ?

Il hocha la tête en silence.

— C'est curieux comme nous avons tous voulu faire pour le mieux, et comme tout est allé de travers, n'est-ce pas ? continua Karen. David a cru bien faire en épousant votre mère. Elle a jugé bon de tomber enceinte rapidement. Nous, nous avons pensé agir pour le mieux en le ramenant au pays et en l'incitant à y rester, contre sa volonté.

— Et moi, j'ai cru qu'il était de mon devoir de venir ici pour tout mettre à feu et à sang, acheva posément Paul.

— Mais vous vous êtes ravisé. Et je vous en remercie. Trey vous sera éternellement reconnaissant. Il aimerait pouvoir rattraper le mal qu'il a fait, et que toute la famille vous a fait, à vous et votre mère. Je ne sais pas si vous pourrez l'accepter, mais je l'espère sincèrement.

Elle sourit et regarda vers le piano, autour duquel les enfants s'étaient réunis pour chanter des cantiques de Noël.

— Il n'y a toujours eu qu'un fils Delaney par génération depuis le premier Paul Delaney. Vous avez déjà rompu avec cette tradition, Trey et vous. Je ne nourris plus aucun grief contre le demi-frère de mon fils, et vous, vous ne contestez pas sa place au sein de la famille. Qui sait ? Peut-être un jour vous et moi pourrons-nous devenir amis ?

Sur ces paroles, elle passa devant lui et sortit de la pièce pour rejoindre les autres invités.

Paul demeura debout, immobile, au milieu du jardin d'hiver, jusqu'à ce qu'Ann vienne l'y chercher.

Elle glissa son bras sous le sien.

— Ça va ?

— D'après Karen, nous avons mis fin à l'engrenage infernal auquel la famille semblait vouée.

— Et, d'après grand-mère, nous avons brisé la malédiction qui pesait sur la maison. Maintenant, elle peut enfin abriter le bonheur.

— C'est effrayant, d'être aussi heureux ! Je me réveille parfois, la nuit, en ayant peur de m'apercevoir que tu as disparu.

— Aucune chance. Je crains que tu ne doives t'accommoder de ma présence pendant les longues années que nous réserve l'avenir !

Chère lectrice,

Vous nous êtes fidèle depuis longtemps?
Vous venez de faire notre connaissance?

C'est pour votre plaisir que nous avons imaginé un rendez-vous chaque mois avec vos auteurs préférés, vos AUTEURS VEDETTE dans les collections Azur et Horizon.

Les AUTEURS VEDETTE vous donneront rendez-vous pour de nouveaux livres vedette.

Pour les reconnaître, cherchez l'étoile... Elle vous guidera!

Éditions Harlequin

AUT-R-R

LE FORUM DES LECTEURS ET LECTRICES

CHERS(ES) LECTEURS ET LECTRICES,

VOUS NOUS ETES FIDÈLES DEPUIS LONGTEMPS?

VOUS VENEZ DE FAIRE NOTRE CONNAISSANCE?

SI VOUS AVEZ DES COMMENTAIRES, DES CRITIQUES À FORMULER, DES SUGGESTIONS À OFFRIR, N'HÉSITEZ PAS… ÉCRIVEZ-NOUS À:

LES ENTERPRISES HARLEQUIN LTÉE.
498 RUE ODILE
FABREVILLE, LAVAL, QUÉBEC.
H7R 5X1

C'EST AVEC VOS PRÉCIEUX COMMENTAIRES QUE NOUS ALLONS POUVOIR MIEUX VOUS SERVIR.

DE PLUS, SI VOUS DÉSIREZ RECEVOIR UNE OU PLUSIEURS DE VOS SÉRIES HARLEQUIN PRÉFÉRÉE(S) À VOTRE DOMICILE, NE TARDEZ PAS À CONTACTER LE SERVICE D'ABONNEMENT; EN APPELANT AU (514) 875-4444 (RÉGION DE MONTRÉAL) OU 1-800-667-4444 (EXTÉRIEUR DE MONTRÉAL) OU TÉLÉCOPIEUR (514) 523-4444 OU COURRIER ELECTRONIQUE: AQCOURRIER@ABONNEMENT.QC.CA OU EN ÉCRIVANT À:

ABONNEMENT QUÉBEC
525 RUE LOUIS-PASTEUR
BOUCHERVILLE, QUÉBEC
J4B 8E7

MERCI, À L'AVANCE, DE VOTRE COOPÉRATION.

BONNE LECTURE.

HARLEQUIN.

VOTRE PASSEPORT POUR LE MONDE DE L'AMOUR.

Composé et édité par les
éditions Harlequin
Achevé d'imprimer en mai 2005

à Saint-Amand-Montrond (Cher)
Dépôt légal : juin 2005
N° d'imprimeur : 50979 — N° d'éditeur : 11320

Imprimé en France